Dört Anlaşma

TOLTEK BİLGELİK KİTABI

Don Miguel Ruiz

Türkçesi
Nil Gün

...ÖTESİ

20 Yaşında

Don Miguel Ruiz
Dört Anlaşma
Toltek Bilgelik Kitabı
The Four Agrements
A Toltec Wisdom Book
Türkçesi: Nil Gün

Yayın Yönetmeni: Nil Gün

ISBN 975-8363-04-2
12. Baskı, Aralık 2015, İstanbul
1. Baskı, 1999, İstanbul

Akçalı Ajans aracılığıyla

Kapak Tasarımı: Hakkı Şen

Kayhan Matbaacılık
Merkez Efendi Mah. Fazılpaşa Cad. No: 8/2 Topkapı-İstanbul
Tel: 0212 612 31 85 - 576 00 66
Sertifika No: 12156

Ötesi Yayıncılık
Fener Kalamış Cad. No: 93/7 34726 Kadıköy-İstanbul
Tel: 0216 449 98 05 pbx Faks: 0216 348 00 69
yayin@kuraldisi.com www.kuraldisi.com
Sertifika No: 10540

Dağıtım
Alemdar Mah. Çatalçeşme Sok.
No:25 Çatalçeşme Han Cağaloğlu-İstanbul
Tel: 0212 513 81 57 Faks: 0212 511 62 52
İnternet Satış: www.kuraldisi.net

İçindekiler

Sunuş

Toltek Bilgeliği, yalnızca efsanelerde ve hikayelerde varolan ölü bir gelenek değil, bugün hâlâ bir kısım Meksika Kızılderilileri tarafından uygulanan canlı bir öğretidir.

Toltek bir din değildir. Bir felsefe değildir. Bir ideoloji değildir. Toltekler bir yaşam sanatının uygulayıcısıdır.

Özellikle Carlos Castaneda'nın "Don Juan'ın Öğretileri" ile başlayan kitap dizisi Toltek öğretisinin dünyada tanınmasını sağlamıştır.

Bir Toltek kendisini Doğa'nın ve Evren'in bir parçası olarak görür ve doğal yasalara uyumlu bir yaşam sürmeyi amaçlar.

"Bilgi İnsanı" anlamına gelen Toltekler, 16. yüzyıldan önce kendilerine Wirrarika diyordu.

Toltek İspanyolcasında "o" zamiri için tek sözcük vardır. Toltekler "o" derken kadın-erkek gibi cinsiyet ayrımı yapmadığı gibi cansız-canlı ayrımı da yapmaz. (İngilizce'de he, she, it gibi ayrımlar vardır.) Çünkü Tolteklere göre her şey cinsiyetsiz ve canlıdır.

Yine de *Güneş* ve gücünün, *Rüzgar* ve beklenmedik davranışlarının erkek, *Dünya* ve sevgiyi öğretme derslerinin *Su* ve hayat verme yeteneğinin dişi olduğu bilinir.

Resmi tarih Tolteklerin 9. ve 12. yüzyıllar arasında yaşadığını söylese de, Tolteklerin kökeni tarihin karanlıklarına kadar uzanır.

Toltekler, Tula şehrinin dağılmasından sonra 12. yüzyılda birçok kollara ayrılmıştır. Bunlardan en bilinenleri Wirrarika, Aztek ve Mayadır.

Toltek dünyasının en bilinen figürü Tüylü Yılanla sembolize edilen "Quetzalcoatl"dır. Bu sembol Tula piramitlerinde yer aldığı gibi Atlantis sembolü olarak da bilinir.

Bugün Maya-Toltek bilgilerindeki derin astronomi bilgilerinin isabetliliği günümüz bilim insanlarını hâlâ şaşkınlığa düşürmektedir.

Toltek bilgileri çok boyutlu insan-evren ilişkilerini de içeriyor.

Bilimin ve spiritüel yaşamın birbirinden ayrılmadığı Toltek bilgileri, Maya uygarlığının en üst boyutlara ulaşmasını sağlamıştır.

Toltek spiritüelliğinin en önemli özelliklerinden biri pragmatist olmasıdır.

Bir Wirrarika ile onu Hıristiyan yapmaya çalışan bir misyoner arasında geçen şu konuşma ilginçtir:

Wirrarika: Biz Kızılderililerin birçok tanrıya inandığımız için aptal olduğumuzu düşünüyorsun, öyle mi?

Oysa biz, siz beyazlar gibi inançlara sahip değiliz. Bizim yolumuz inanca değil, görmeye dayanır. Siz ise bir kişinin peşinden sürü gibi gidiyorsunuz. İsa'nın ne yaptığını, ne yapmadığını nereden biliyorsun? Onu tanıdın mı?

Misyoner: Hayır, kişisel olarak değil.

Wirrarika: Peki, onu tanıyan birini tanıyor musun?

Misyoner: Tabii ki hayır. O, iki bin yıl önce yaşadı.

Wirrarika: İki bin yıl önce mi? Şaka mı yapıyorsun? Onun gerçekten yaşayıp yaşamadığını nereden biliyorsun? Belki de İsa sadece bir efsanedir.

Misyoner: Tabii ki yaşadı. Onun sözleri İncil'de var.

Wirrarika: Oh, ama ben okumayı bile bilmiyorum. Bizim aptal olduğumuzu söylüyorsun öyle mi? Dünyaya ve güneşe inandığımız için aptalız öyle mi?

Sen sana söylenenlere inanıyorsun. Bana dünya hakkında kimsenin bir şey söylemesine gerek yok. Onu her gün görüyorum! O her gün meyvelerini, mısırını, fasulyesini, suyunu bana armağan olarak sunuyor. Ona dokunabiliyor, üzerinde yürüyor ve yaşıyorum. Her gün Güneşin ısısını hissediyor, ışığını, bilgisini, vizyonunu, öğretilerini alıyorum. Güneşe inanmam gerekmiyor. Başımı kaldırıp ona bakmam yetiyor.

Senin İsa'n ne üretti? Bildiğim kadarıyla hiçbir şey. Oysa dünya her an üretiyor! Bizi besliyor! Onun sayesinde yaşıyoruz. Aptal olan kim? Söyle bana.

Bu ilginç konuşmada da görüldüğü gibi Toltekler görmeye, öğrenmeye, uygulamaya önem veriyor; tapınma onlar için bir anlam ifade etmiyor.

Onlara göre dinlemeyi bilirsek, bize suyun, havanın, toprağın ve rüzgarın, geyiğin, ağacın, taşın öğreteceği çok şey var.

Bugün modern insan, "doğaya tapınma" kültürlerine ilkel bir din formu olarak bakıyor. Oysa bu, Batı kültürünün kendini beğenmiş tavırlarından biridir. Batı kültürü, insanı her şeyin merkezine koyuyor. Doğayı kendisinden aşağı, kaynaklarını sömüreceği, açgözlülüğünü doyuracağı bir nesne olarak görüyor.

Daha... daha... daha fazla kazanmak için doymak bilmeyen hırsıyla çevresine zarar verdiğini, bu zararın kendisi için bir intihar olduğunu bilmiyor.

Oysa bu "ilkeller" kendilerini doğanın bir parçası olarak görüyor. Dünyaya, güneşe, hayvana, ağaca her şeye canlı bir varlık olarak saygı duyuyor.

Doğayı yok etmenin kendisini yok etmek anlamına geldiğini biliyor.

"İlkellerin" doğaya gösterdiği saygıyı, Batı kültürü "tapınma" diyerek aşağılıyor; kendi "paraya tapınma" kültürlerinin ve yaşamı tek boyutlu algılamanın gerçek "ilkellik" olduğunun farkında bile olmadan.

Bir Toltek'in dediği gibi;

"Biz ağaca baktığımızda onu dinler ve ondan çok şey öğreniriz. Siz beyazlar, ağaçtan ne kadar kereste ve kar elde edebileceğinizi hesaplarsınız."

Dört Anlaşma kitabının yazarı don Miguel Ruiz, Meksika'da doğdu ve büyüdü.

İyileştirici (curandera) bir anne ve şaman (nagual) bir büyükbaba tarafından ailenin geleneğine uygun olarak, iyileştirici ve öğretici olması için eğitildi. Aile yüzyıllardır ezoterik Toltek Bilgisini nesilden nesle aktararak yaşamasını sağlayan bir soydan geliyordu.

Ama Ruiz'e modern yaşam daha çekici geldi. Gelenekleri bir yana bırakıp, tıp fakültesine gitmeyi seçti ve cerrah oldu.

Miguel Ruiz'in yaşamını bir "ölümle karşılaşma" deneyimi değiştirdi. 1970 yılının başında bir gece yarısı, arkadaşlarıyla arabada giderken direksiyonun başında uyuya kaldı. Gözlerini açtığında arabanın beton bir duvara gömülmüş olduğunu gördü.

İki arkadaşını arabadan çekip çıkarırken Ruiz yukarıdan kendisini seyrediyordu.

Bu deneyim, onun için bir dönüm noktası oldu. Yoğun bir kendini-arayış dönemine girdi. Kendisini Toltek Yolunu araştırmaya adadı. Annesinden ve Meksika çölünde yaşayan büyük bir şamandan eğitim aldı. Büyükbabası ölmüştü ama ona rüyalarında eğitim vermeye devam ediyordu.

Toltek geleneğinde *nagual* kişinin kendi bireysel özgürlüğüne ulaşmasında rehberlik eden bir öğreticidir.

Don Miguel Ruiz, Eagle Knight soyundan gelen bir *nagual*dır. Yaşamını Toltek bilgisini öğretmeye ve paylaşmaya adamıştır.

Bu kitap, içinizdeki Toltek'i harekete geçirirse ne mutlu size!

Don Miguel Ruiz'in yine yayınevimizden çıkan ikinci kitabı *Ustaca Sevmek* için şimdiden kütüphanenizde ve yüreğinizde bir yer ayırın.

Sevgiyle hoşça olun.

Nil Gün

Ateş Çemberi'ne;
Daha önce yaşamış olanlara,
Şu anda yaşayanlara,
Gelecekte yaşayacak olanlara...

Teşekkür

Öncelikle bana koşulsuz sevgiyi öğreten annem Sarita'ya; disiplini öğreten babam Jose Luis'e; bana Toltek gizem kapısının anahtarını veren büyükbabam Leonardo Macias'a ve oğullarım Miguel, Jose Luis ve Leonardo'ya teşekkürlerimi sunarım.

Gaya Jenkins ve Trey Jenkins'e bu kitaba kendilerini adamalarından dolayı derin şefkat ve takdirlerimi ifade etmek isterim.

Bana inanan yayıncım ve editörüm Janet Mills'e sonsuz minnettarlığımı sunuyorum. Ray Chambers'a da yolumu aydınlattığı için minnettarım.

İnancı kalbimi ısıtan, sevgili arkadaşım, "muhteşem beyin" Gini Gentry'ye de teşekkür etmek istiyorum.

Öğretileri desteklemek için zamanlarını, kalplerini ve kaynaklarını sunan birçok insana da minnettarlığımı sunmak istiyorum. İşte bu insanların listesi:

Gae Buckley, Ted ve Peggy Raess, Christinea Johnson, Judy "Red" Fruhbauer, Vicki Molinar, David ve Linda Dibble, Bernadette Vigil, Cynthia Wootton, Alan Clark, Rita Rivera, Catherine Chase, Stephanie Bureau, Todd Kaprielian, Glenna Quigley, Allan ve Rvei Hardinan, Cindee Pascoe, Tink ve Chuck Cowgill, Roberto ve Diane Paez, Sin Gian Singh Khalsa, Heather Ash, Larry Verews, Judy Silver, Carolyn Hipp, Kim Hofer, Mersedeh Kheradmve, Diana ve Sky Ferguson, Ken Kropidlowski, Steve

Hasenburg, Dara Salour, Joaquin Galvan, Woodie Bobb, Rachel Guerrero, Mark Gershon, Collette Michaan, Brvet Morgan, Katherine Kilgore (Kitty Kaur), Michael Gilardy, Laura Haney, Marc Cloptin, Wendy Bobb, Ed Fox, Yari Jaeda, Mary Carroll Nelson, Amari Magdelana, JaneAnn Dow, Russ Venable, Gu ve Maya Khalsa, Mataji Rosita, Fred ve Marion Vatinelli, Diane Laurent, V.J. Polich, Gail Dawn Price, Barbara Simon, Patti Torres, Kaye Thompson, Ramin Yazdani, Linda Lightfoot, Terry Gorton, Dorothy Lee, J.J. Frank, Jennifer ve Jeanne Jenkins, George Gorton, Tita Weems, Shelley Wolf, Gigi Boyce, Morgan Drasmin, Eddie Von Sonn, Sydney de Jong, Peg Hackett Cancienne, Germaine Bautista, Pilar Mendoza, Debbie Rund Caldwell, Bea La Scalla, Eduardo Rabasa ve Kovboy.

Toltek

Sonsuzluğun ötesi içinizdedir

Binlerce yıl önce, Meksika'nın güneyindeki Toltek "bilginin kadınları ve erkekleri" olarak biliniyordu. Antropologlar Toltekleri bir ülke ya da ırk olarak tanımlıyor. Oysa Toltek, kadim spiritüel bilgileri ve uygulamaları araştırmak ve korumak için bir toplum oluşturan bilim insanları ve sanatçılardı. Bu insanlar Teotihuacan'ın ustaları (nagual) ve öğrencileri olarak bir araya gelmişti. Teotihuacan, Mexico City'nin dışında "İnsanın Tanrı Olduğu" bir yer olarak bilinen çok eski bir piramitler şehridir.

Son bin küsur yıldır *nagual*lar atalarından öğrendikleri bilgeliği gizlemek ve varlıklarını büyük bir gizlilik içinde yürütmek zorunda kaldı.

Bir taraftan Avrupalıların topraklarını istila etmesi, diğer taraftan birkaç çırağın, öğretileri kendi çıkarları uğruna sorumsuzca kullanması sonucu ustalar, bu bilgileri bilgece kullanmaya hazır olmayan kişilerden ya da bireysel kazanç uğruna bilerek yanlış kullanan insanlardan korumak gereğini duydular.

Neyse ki, ezoterik Toltek bilgisi, değişik soylardan gelen *nagual*lar tarafından korunarak nesilden nesle aktarıldı. Yüzlerce yıldır gizli tutulan bu saklı bilgilerin şimdi paylaşılma zamanı geldi.

Eski Toltek kehanetleri, içinde bulunduğumuz çağın bu bilgeliğe geri dönüş çağı olduğunu söylüyor.

Şimdi, Eagle Knight soyundan gelen bir *nagual* olan don Miguel Ruiz, bizimle Toltek öğretilerini paylaşmak için görevlendirilmiş bir öğreticidir.

Toltek bilgisi, dünyanın dört bir yanında değişik ezoterik geleneklerde öğretilen aynı temel gerçeğin birliğinden yola çıkar. Toltek bir din değildir ama dünyaya gelmiş tüm spiritüel ustalara saygı duyar. Toltek öğretisi ruhu kucaklar ama onu "yaşam sanatı" olarak tanımlamak daha doğru olur. Çünkü mutluluk ve sevgiyi bilmenin yolunu kolay kılan bir öğretidir.

GİRİŞ

Sonsuzluğun ötesi içinizdedir

Dumanlı Ayna

Üç bin yıl önce tıpkı sizin ve benim gibi bir insan dağlarla çevrili bir şehrin yakınında yaşıyordu. İnsan, atalarının tıbbi bilgilerini öğrenerek sağaltıcı olmak üzere eğitim görüyordu. Ama o, öğrendiği her şeyle tam bir fikir birliği içinde değildi. Yüreğinde daha fazla bir şeylerin olması gerektiğini hissediyordu.

Bir gün mağarasında uyurken rüyasında kendi bedeninin uyuduğunu gördü. Yeni ay gecesinde mağarasından çıktı. Gökyüzü berraktı. Milyonlarca yıldızı görebiliyordu. O anda içinde bir şeyler oldu.

Hayatının bir anda büyük bir dönüşüme uğradığını hissediyordu. Ellerine baktı, bedenini hissetti ve kendi sesini duydu: "Ben ışıktan oluştum, ben yıldızlardan oluştum."

Başını kaldırarak tekrar gökyüzüne baktı. Yıldızların ışığını yaratanın yıldızlar olmadığını fark etti. Işık yıldızları yaratıyordu.

"Her şey ışıktan oluştu" dedi "ve aradaki boşluk boş değil". Varolan her şeyin tek bir yaşayan varlık olduğunu biliyordu artık. Işık yaşamın bilgi taşıyıcısı idi. Işık canlıydı ve tüm bilgiyi ihtiva ediyordu.

Yıldızlardan oluştuğu halde bu yıldızlar olmadığını da fark etti. "Ben yıldızların arasında olanım" dedi. Yıldızlara *tonal*, yıldızların arasındaki ışığa da *nagual* adını verdi. İkisinin arasındaki alanı ve uyumu yaratanın Yaşam ya da Tasarlayan olduğunu anladı. Hayat olmaksızın, *tonal* ve *nagual* da varolamazdı. Yaşam Mutlak Olan'ın her şeyi yaratan Yaratıcı'nın gücüdür.

Ve şunu keşfetti: Varolan her şey, Tanrı dediğimiz tek Olan canlının, değişik ifadeleridir. Her şey Tanrıdır. İnsanın algılaması, ışığın ışığı algılamasından başka bir şey değildir. Maddenin bir ayna olduğunu da gördü. Her şey, ışığı yansıtan ve bu ışıkla görüntüler yaratan bir aynadır. İllüzyon dünyası, *Rüya* kendimizi olduğumuz gibi görmeyi engelleyen bir duman gibidir. "Gerçek biz, saf sevgi, saf ışığız" dedi.

Bu derin farkındalık hayatını değiştirmedi. Artık gerçekten kim olduğunu biliyordu. Etrafına bakındı. Diğer insanları ve doğayı, bir başka algıladığını fark ettiğinde şaşkınlığa düştü. Her şeyde kendisini görüyordu. Her insan, her hayvan, her ağaç, su, yağmur, bulutlar, toprak kendisiydi. Hayat'ın, *tonal* ve *nagual*'i farklı farklı karıştırarak, milyarlarca farklı Hayat'ın ifadelerini yarattığını gördü.

Bu birkaç saniye içinde her şeyi kavradı, her şeyi anladı. Çok heyecanlanmıştı, yüreği huzurla dolmuştu. İnsanlarla keşfettiği şeyi paylaşmak için sabırsızlanıyordu. Ama bildiklerini anlatabilecek sözler bulamıyordu. Dili döndüğünce anlatmaya çalıştı ama diğerleri onu anlamadı. Değiştiğini görüyorlardı. Çok güzel bir şey gözlerinden ve sesinden etrafa yayılıyordu. Artık hiçbir şeyi ve hiç kimseyi yargılamadığını da fark ettiler. Artık o diğerleri gibi değildi.

O herkesi çok iyi anlayabiliyordu ama hiç kimse onu anlayamıyordu. Onun Tanrı'nın yeryüzündeki Kendisi olduğuna inandılar... Bunu işittiğinde güldü ve şöyle dedi: "Doğru, Ben Tanrıyım. Ama siz de Tanrısınız. Siz ve ben aynıyız. Hepimiz ışığın yansımalarıyız. Hepimiz Tanrıyız." Yine de insanlar onu anlamadı.

Kendisinin, tüm diğer insanların bir aynası olduğunu da keşfetti. İnsanlar, kendisini görebileceği bir aynaydı; "Herkes bir aynadır" dedi. Herkeste kendisini gördü ama hiç kimse onu kendileri gibi görmedi.

Herkesin rüya gördüğünü anladı. Ama farkındalıkları olmaksızın, gerçekten kim olduklarını bilmeksizin rüya görüyorlardı. Onu, kendileri gibi göremiyorlardı çünkü aynalar arasında sis duvarı, duman duvarı vardı. Bu sis duvarı, ışığın yansımalarının yorumlarıyla örülmüştü -İnsanların Rüyasıyla.

Bir süre sonra tüm öğrendiklerini unutacağını da anladı. Gördüğü tüm vizyonları hatırlamak istedi. Ve kendisine Dumanlı Ayna ismini koymaya karar verdi. Böylece daima maddenin bir ayna olduğunu ve oradaki dumanın bizi kim olduğumuzu bilmekten alıkoyduğunu hatırlayacaktı.

"Ben Dumanlı Ayna'yım. Çünkü her birinizde kendimi görüyorum, ama aramızdaki dumandan ötürü birbirimizi tanımıyoruz. Duman Rüyadır, siz de rüya gören aynasınız" dedi.

Gözler kapalı yaşamak kolaydır.
Görebildiğiniz tek şey yanlış yorumlardır...

-John Lennon

1

Ehlileşme ve Gezegenin Rüyası

Sonsuzluğun ötesi içinizdedir

Şu anda gördüğünüz ve işittiğiniz her şey bir rüyadır. Şu anda rüya görüyorsunuz. Beyniniz uyanıkken rüya görüyorsunuz.

Rüya, zihnin ana fonksiyonudur. Zihin günde yirmi dört saat rüya görür. Beyin uyanıkken de uyurken de rüya görür. Aradaki fark: Beyin uyanık iken, her şeyi lineer (sıra sıra) olarak algıladığımız somut bir çerçeve vardır. Uykuya daldığımızda bu çerçeve olmadığı için rüyaların sürekli olarak değişme eğilimi vardır.

İnsanlar her an rüya görüyor. Biz doğmadan önce doğan insanlar dışarıda kocaman bir rüya yarattı. Buna toplumsal rüya ya da *gezegensel rüya* diyeceğiz. Gezegensel rüya, milyarlarca bireysel rüyanın oluşturduğu kolektif rüyadır. Bu küçük bireysel rüyalar bir araya geldiğinde aile rüyası, toplum rüyası, şehir rüyası, ülke rüyası ve sonunda insanlık rüyasını yaratıyor. Gezegensel rüya, tüm toplumsal kuralları, inançları, yasaları, dinleri, değişik kültürleri, devletleri, okulları, sosyal olayları ve tatilleri içinde barındırıyor.

Biz, nasıl rüya göreceğimizi öğrenme kapasitesiyle dünyaya geldik. Bizden önce doğan, daha önce yaşamış insanlar bize nasıl toplumsal rüyaya uygun rüya görmemiz gerektiğini öğretiyor. Yeni bir insan doğduğunda, çocuğun dikkatini toplumsal rüyanın sayısız kurallarına odaklıyoruz ve bu kuralları onun zihnine empoze ediyoruz. Toplumsal rüya, nasıl rüya görmemiz gerektiğini öğrenmemiz için anne, baba, okul ve dinleri kullanıyor.

Dikkat, algılamak istediğimiz şeyi ayırt edebilmek için gereken odaklanma yeteneğidir. Aynı anda milyonlarca şeyi algılıyoruz. Ama dikkatimizi kullanarak, algılamak istediğimiz şeyi zihnimizde ön planda tutmayı sağlayabiliyoruz. Etrafımızdaki yetişkinler dikkatimize istedikleri çengeli atıyor ve tekrar yoluyla zihnimize bilgiyi yerleştiriyor. Bildiğimiz her şeyi bu yolla öğreniyoruz.

Dikkatimizi kullanarak, tüm realiteyi, tüm rüyayı öğrendik. Toplumda nasıl davranmamız gerektiğini öğrendik: neye inanmalıyız, neye inanmamalıyız; ne kabul edilebilir, ne edilemez; ne iyidir, ne kötüdür; ne güzeldir, ne çirkindir; ne doğrudur, ne yanlıştır. Tüm bunlar, tüm bu bilgiler, tüm kurallar ve kavramlar, dünyada nasıl davranmamız gerektiği bize sunulmak üzere hazır bekliyordu.

Okula gittiğinizde, küçük sandalyelerinize oturdunuz ve dikkatinizi, öğretmenin size öğrettiklerine verdiniz. Kiliseye gittiğinizde, dikkatinizi papazın ya da vaizin söylediklerine verdiniz. Aynı sistem, Anne ve Babanız, erkek ve kız kardeşleriniz tarafından da uygulanıyordu. Hepsi sizin dikkatinize çengel atmaya çalışıyordu. Bu yolla diğer insanların dikkatini üzerimizde toplamayı da öğrendik. Ve ilgi ihtiyacı geliştirdik. Dikkati üzerimizde toplama (ilgi) çok rekabet gerektirebilir. Çocuklar ebeveynlerinin, öğretmenlerinin, arkadaşlarının ilgisi için rekabet eder. "Bana bak! Bak, ne yapıyorum! Hey, ben buradayım!" İlgi ihtiyacı gittikçe güçlenir ve yetişkinlikte de devam eder.

Toplumsal rüya, dikkatimize çengelini atarak neye inanmamız gerektiğini bize öğretir. Bu, konuştuğumuz dille başlar. Dil, insanlar arasındaki anlayış ve iletişim kodudur. Her harf, her sözcük bir anlaşmadır. Buna, kitapta bir sayfa diyoruz; *sayfa* sözcüğü anladığımız bir anlaşmadır. Kodu anladığımızda, dikkatimiz odaklanır ve enerji bir insandan diğerine aktarılır.

Dilinizi konuşmak sizin seçiminiz değildi, dininiz ya da ahlaki değerlerinizi siz seçmediniz. Onlar, siz doğmadan önce de vardı. Neye inanıp inanmayacağımızı seçebilmek için bir olanağımız olmadı. Bu anlaşmaların en küçüğünü bile biz seçmedik. Kendi ismimizi bile seçen biz değiliz.

Çocuk olarak, inançlarımızı seçme olanağımız olmadı, ama toplumsal rüya bilgisi, insanlar aracılığıyla bize aktarıldığında anlaşmaya *katıldık*. Bir bilgiyi depolamanın tek yolu, anlaşmaya katılmakla olur. Toplumsal rüya, dikkatimize çengelini atabilir, ama anlaşmaya katılmazsak o bilgiyi depolamayız. Katıldığımız anda ona *inanırız*. Buna inanç diyoruz. İnançlı olmak, koşulsuz olarak inanmak demektir.

Çocuk olarak işte böyle öğreniriz. Çocuklar yetişkinlerin söylediği her şeye inanır. Büyüklerin anlaşmalarına katılırız ve inançlarımız güçlenir. İnanç sistemi tüm yaşam rüyamızı kontrol eder. Biz bu inançları seçmedik, belki karşı çıkmış bile olabiliriz ama başkaldırıda direnebilmek için yeterince güçlü değildik.

Sonuç, inançlara, *anlaşmaya katılarak* baş eğmektir.

Ben bu sürece *insanları ehlileştirme* süreci diyorum. Ehlileşme yoluyla nasıl yaşayacağımızı ve nasıl rüya göreceğimizi öğreniyoruz. İnsan ehlileştirmede; toplumsal rüyadan gelen bilgiler, içsel rüyaya ulaştırılarak, tüm inanç sistemimiz yaratılır.

Önce çocuğa şeylerin ismi öğretilir: Anne, baba, süt, şişe. Gün be gün ev, okul, kilise ve televizyon aracılığıyla nasıl yaşamamız gerektiği, ne tür davranışların kabul gördüğü bize öğretilir. Toplumsal rüya bize nasıl insan olacağımızı öğretir. "Kadın"ın ne olduğunu, "erkek"in ne olduğunu öğreniriz. Tabii yargılamayı da öğreniriz: kendimizi yargılarız, başka insanları yargılarız, komşuları yargılarız.

Çocuklar, kedi, köpek ve diğer hayvanların ehlileştirildiği gibi aynı yolla ehlileştirilir. Köpeği ehlileştirmek için ceza-ödül yöntemini kullanırız. Çok sevdiğimiz çocuklarımızı da aynı şekilde eğitiriz; Ceza-ödül sistemiyle. Anne ve Babamızın istediği gibi davrandığımızda bize "iyi kızsın", "iyi oğlansın" denildi. Onların istediğini yapmadığımızda "kötü kız", "kötü çocuk" olduk.

Kurallara aykırı davrandığımızda cezalandırıldık, kurallara uyduğumuzda ödüllendirildik. Her gün defalarca cezalandırıldık ve defalarca ödüllendirildik. Bir süre sonra hem cezalandırılmaktan hem de ödül alamamaktan korkmaya başladık. Ödülümüz, ebeveynlerimizin, kardeşlerimizin, öğretmen ve arkadaşlarımızın bize gösterecekleri ilgi ve dikkatti.

Bir süre sonra ödül alabilmeye, insanların ilgisini üzerimizde toplamaya ihtiyaç duyar hale geldik.

Ödül aldığımızda kendimizi iyi hissederiz ve bu ihtiyacımız olan ödülü alabilmek için insanların bizden bekledikleri şekilde davranmayı sürdürürüz. Cezalandırılma ve ödül alamama korkusuyla, kendimiz olmayan farklı bir kişiliğe bürünürüz. Başkalarının bizi görmek istedikleri gibi biri olarak onların onayını almaya çalışırız. Anne Babayı memnun etmeye çalışırız, okulda öğretmenleri memnun etmeye çalışırız, kiliseyi memnun etmeye çalışırız ve bir oyuncu olmaya başlarız. Kendimiz olmaktan korkarız, çünkü kendimiz olduğumuzda reddedilmekten korkarız. Reddedilme korkusu, yeterince iyi olamama korkusuna dönüşür. Sonunda olmadığımız biri haline geliriz. Annenin inançlarının, Babanın inançlarının, toplumun inançlarının, dinin inançlarının bir kopyası oluruz.

Tüm normal eğilimlerimiz, ehlileşme sürecinde kaybolur gider. Bir şeyleri biraz olsun anlamaya başladığımız bir yaşa geldiğimizde, "hayır" sözcüğünü öğreniriz. Yetişkinler bize, "Onu yapma, bunu yapma!" der. Biz de zıtlaşarak "Hayır!"

deriz. Karşı çıkarız çünkü özgürlüğümüzü korumak isteriz. Kendimiz olmak isteriz, ama biz çok küçüğüzdür, yetişkinler ise büyük ve güçlüdür.

Ama bir süre sonra korkmaya başlarız çünkü yanlış bir şey yaptığımızda cezalandırılacağımızı biliriz.

Ehlileştirme öylesine güçlü olur ki, hayatımızın bir noktasında, artık kimsenin bizi ehlileştirmesine gerek kalmaz. Artık Annenin, babanın, okulun ya da kilisenin bizi ehlileştirmesine ihtiyaç kalmamıştır. Öylesine iyi eğitilmişizdir ki, artık kendi ehlileştiricimiz kendimiz oluruz. Kendi kendini ehlileştiren bir hayvan gibi oluruz. Artık, bize dayatılan inanç sistemine uygun olarak kendimizi ehlileştirebiliriz. Kendi üzerimizde aynı ceza-ödül sistemini kullanırız. İnanç sistemimizin kurallarına uygun davranmadığımızda kendimizi cezalandırırız; "iyi kız", "iyi erkek" olduğumuzda kendimizi ödüllendiririz.

İnanç sistemi Yasa Kitabı gibi zihnimizi yönetir. Bu kitapta yazılanları hiç sorgulamadan kendi gerçeğimiz olarak kabul ederiz. Tüm yargılamalarımızı Yasa Kitabına uygun olarak yaparız. Bu yargılarımız, içsel doğamıza aykırı olsa bile. On Emir gibi ahlaki yasalar bile ehlileştirilme sürecinde zihnimizde programlanır. Yaptığımız her anlaşma Yasa Kitabında yer alır ve bu anlaşmalar rüyalarımızı yönetir.

Zihnimizde herkesi ve her şeyi yargılayan bir yargıç vardır. Havayı, kediyi, köpeği bile. İçsel yargıç, her şeyi Yasa Kitabına göre yargılar. Ne yapıp ne yapmamamız gerektiği, ne düşünüp ne düşünmememiz gerektiği, ne hissedip ne hissetmememiz gerektiği, her şey ama her şey bu Yargıcın tiranlığı altındadır. Yasaya aykırı davrandığımız her hareketimizde, Yargıç suçlu olduğumuza karar verir. Cezalandırılmamız ve utanç duymamız gerekir. Bu suçlama yaşamımız boyunca her gün defalarca olur.

Bu yargılamalardan payını alan bir başka parçamız daha vardır. Bu parçamıza Kurban denilir. Kurban, suçlamayı, suçluluk duygusunu ve utancı taşımak zorundadır. Bu parçamız şöyle der: "Zavallı ben. Yeterince iyi değilim, yeterince zeki değilim, yeterince güzel değilim, sevgiye layık değilim, zavallı ben." Büyük Yargıç buna katılır ve yanıt verir: "Evet, yeterince iyi değilsin." Ve tüm bunlar asla kendi başımıza inanmayı seçmediğimiz inanç sistemine dayanır. Bu inançlar öylesine güçlüdür ki, yıllar sonra bile, yeni kavramlarla karşılaşıp, kendi kararlarımızı kendimiz vermeye çalıştığımızda bile, yine de bu inançların yaşamımızı kontrol ettiğini görürüz.

Yasa kitabına aykırı olan her şey, solar pleksus bölgenizde (karın bölgesi) rahatsız edici hisler yaratır. Buna korku denilir. Yasa kitabının kurallarını ihlal etmek, duygusal yaralar açar ve kabuk bağlamış duygusal yaraların kabuğunu koparır. Yasa kitabına aykırı davrandığınızda gösterdiğiniz tepki duygusal zehir üretir. Çünkü Yasa Kitabındaki her şey "doğru olan" olmalıdır. İnanç sisteminizle ilgili şüpheye düşürebilecek her şey sizin güven duygunuzu tehdit eder. Yasa kitabı yanlış bile olsa size güven içinde olduğunuz hissini verir.

Bu yüzden kendi inançlarımızı sorgulamak için büyük cesarete ihtiyaç duyarız. Tüm bu inançları kendimizin seçmediğini bilsek bile, hepsiyle uzlaştığımız, anlaşmayı kabul ettiğimiz de bir gerçektir. Bu anlaşma çok güçlü olduğu için inançlarımızın doğru olmadığını kavramsal olarak anlamış olsak bile, yine de kurallara karşı gelmek bizde suçluluk duygusu ve utanç yaratır.

Tıpkı devletin yasa kitabının toplumsal rüyayı yönettiği gibi, inanç sistemimizin Yasa Kitabı da bireysel rüyamızı yönetir. Bu kurallar, zihnimizde varlığını sürdürür. Onlara inanırız ve içimizdeki Yargıç tüm kararlarını bu kurallara göre alır. Yargıç mahkum eder. Kurban suçluluk duygusu ve cezasını çeker. Bu rüyada adaletin olduğunu kim söyleyebilir?

Gerçek adalet, her hatanın bedelini bir kez ödetir. Gerçek adaletsizlik, her hatanın bedelini tekrar tekrar ödetir.

Bir hatanın bedelini kaç kez öderiz? Yanıt binlerce kezdir. İnsan, dünyada aynı hatanın bedelini binlerce kez ödeyen tek hayvandır. Diğer hayvanlar her yanlışlarının cezasını bir kez çeker. Ama biz? Bizim çok güçlü belleğimiz var. Bir hata yaparız, kendimizi yargılarız, kendimizi suçlu buluruz, kendimize ceza veririz. Eğer adalet varsa bu yeterlidir. Hatayı bir daha yapmayız. Oysa hatamızı her hatırlayışımızda kendimizi yeniden yargılarız, yeniden suçlu buluruz, ve kendimizi yeniden canlandırırız. Her hatırlayışımızda tekrar ve tekrar, tekrar ve tekrar cezalandırırız. Eğer karımız veya kocamız varsa ve o da bize hatamızı hatırlatıyorsa, bu ceza bir türlü bitmez. Bu adil mi?

Eşimize, çocuklarımıza, ebeveynlerimize aynı hatanın bedelini kaç kez ödetiyoruz? Onların yanlışını her hatırladığımızda, onları yeniden suçlarız. Onlar tarafından haksızlığa uğradığımız için hissettiğimiz tüm duygusal zehrimizi onlara akıtırız ve aynı hatanın bedelini onlara defalarca ödetiriz. Bu mudur adalet?

Zihnimizdeki yargıç yanlış karar verir, çünkü inanç sistemimiz, Yasa Kitabı yanlıştır. Tüm rüya sahte yasa üzerine kuruludur. Zihnimizde depoladığımız inançların yüzde doksan beşi yalandır ve biz bu yalanlara inandığımız için acı çekeriz.

Toplumsal rüyada insanların acı çekmesi, korku içinde yaşaması duygusal dramalar yaratması normaldir. Toplumsal rüya hoş bir rüya değildir; bu rüya şiddetin rüyasıdır, korkunun rüyasıdır, savaşın rüyasıdır, adaletsizliğin rüyasıdır. İnsanların bireysel rüyaları farklılıklar gösterir, ama çoğunlukla bir kabustur. İnsanlık ailesine baktığımızda, yaşam çok zordur çünkü korkular yaşamı yönetir. Dünyadaki insan toplumlarında gördüklerimiz; müthiş bir ıstırap, kızgınlık, intikam, bağımlılıklar, sokaklardaki şiddet ve devasa boyutlarda adaletsizliktir. Dünyadaki farklı ülkelerde bunlar farklı boyutlarda var olabilir ama yine de toplumsal rüya korku tarafından yönetilir.

Toplumsal rüyayı, dinlerin tanımladığı cehennemle mukayese edersek aynı olduklarını görürüz. Dinler, cehennemi bir cezalandırma yeri, korku dolu, acı ve ıstırap çekilen bir yer, ateşin sizi yaktığı bir yer olarak tarif eder. Ateş, korkudan kaynaklanan duygularla yaratılır. Öfke, kıskançlık, nefret duygularını hissettiğimizde, içimizde bir ateşin bizi yaktığını hissederiz. Cehennem rüyasını yaşarız.

Eğer cehennemi bir zihin durumu olarak düşünürseniz, o zaman cehennemle kuşatılmış durumdayız. Başkaları, onların bize söyledikleri gibi yapmazsak cehenneme gideceğimiz konusunda bizi ikaz edebilir. Kötü haber! Biz zaten cehennemdeyiz, buna, bize cehenneme gideceğimizi söyleyenler de dahil. Hiçbir kişinin, bir başka kişinin cehenneme gideceğini söylemeye hakkı yoktur. Çünkü zaten cehennemdeyiz. Başkaları bizi daha da derin bir cehenneme sokabilir tabii ki. Ama bu ancak bizim iznimizle olur. Her insanın bireysel rüyası vardır. Bireysel rüyalar da çoğu kez korkularla yönetilir. Kendi yaşamımızda cehennem rüyası görmeyi öğreniriz. Aynı korkular, her insanda değişik yollarla ifade bulur tabii ki. Ama her birimiz kızgınlık, kıskançlık, nefret, çekememezlik gibi negatif duyguları deneyimleriz. Bireysel rüyamız, korkuların kıskacında geçen, bitmek bilmeyen bir kabusa da dönüşebilir. Bu kabusu yaşamaya gerek yoktur. Haz dolu bir rüyayı da yaşamak mümkündür.

İnsanlık, gerçeğin, adaletin ve güzelliğin arayışını sürdürüyor. Gerçeği arıyoruz çünkü zihnimizde depoladığımız yalanlara inanıyoruz. Adaleti arıyoruz çünkü sahip olduğumuz inanç sisteminde adalet yok. Güzelliği arıyoruz, çünkü kişi ne kadar güzel olursa olsun, o kişinin güzelliğine inanmıyoruz.

Her şey zaten içimizde olduğu halde, gerçeği adaleti ve güzelliği umutsuzca dışarıda aramayı sürdürüyoruz. Arıyoruz, arıyoruz, arıyoruz. Bulunacak bir gerçek yok. Başımızı nereye çevirirsek çevirelim, gerçeği her şeyde görebiliriz. Ama zihnimizde depoladığımız anlaşma ve inançlar gerçeği görmemizi engelliyor.

Gerçeği göremiyoruz çünkü körüz. Sahte inançlar gözlerimizi kör etmiş durumda. Bu nedenle haklı olmaya ihtiyaç duyuyoruz. Başkaları haksız, biz haklıyız. İnandığımız şeylere güven duymaya ihtiyaç duyuyoruz. Ve bu inançlar, bizim acılarımızı yaratıyor. Adeta bir sisin içinde yaşıyoruz ve bu sis burnumuzun ötesini görmemizi engelliyor. Bu sis bir rüya, sizin hayatla ilgili bireysel rüyanız. Bu rüya kim olduğunuzla ilgili inanç ve kavramlarınızdan, kendinizle, başkalarıyla hatta Tanrıyla yaptığınız anlaşmalardan oluşuyor.

Tüm zihniniz sisin ta kendisi. Toltekler buna *mitote* diyor. Zihniniz binlerce kişinin aynı anda konuştuğu ve kimsenin birbirini anlamadığı bir rüya. İnsan zihninin durumu işte budur: büyük *mitote*. Bu büyük *mitote* yüzünden gerçekte kim olduğunuzu göremiyorsunuz. Hindistan'da buna *mitote maya* diyorlar. Bu, illüzyon anlamına geliyor, kişiliğin "ben" sandığı şey.

Kendinizle ve dünyayla ilgili inandığınız her şey, zihninizdeki tüm kavramlar ve programlamalar *mitote*dir. Gerçekten kim olduğumuzu göremiyoruz; özgür olmadığımızı göremiyoruz.

Bu yüzden insanlar hayata karşı çıkıyor. Yaşamak insanların en büyük korkusu. Ölüm, sahip olduğumuz en büyük korku değildir; en büyük korkumuz yaşamak için risk almaktan korkmamızdır. Gerçekte kim olduğumuzu ifade ederek yaşayabilme riskini almaktan korkuyoruz. Sadece kendimiz olarak yaşamaktan korkuyoruz. Hayatımızı, başka insanların taleplerini, beklentilerini karşılamaya çalışarak yaşamayı öğrendik. Başka insanların bakış açılarına uygun olarak yaşamayı öğrendik. Çünkü kabul edilmemekten, başkası için yeterince iyi olamamaktan korkuyoruz.

Ehlileştirme sürecinde, yeterince iyi olabilmeye çabalamak için zihnimizde bir mükemmellik imgesi yaratırız. Herkes tarafından onaylanmak ve kabul görmek için nasıl olmamız gerektiğine dair bir imaj yaratırız. Özellikle Anne, Baba, Kardeşler, din adamları ve öğretmenlerimiz gibi bizi sevmesini istediğimiz kişileri memnun etmeye çalışırız. Onların gözünde yeterince iyi olabilmek için mükemmellik imajı yaratırız ama bir türlü bu imaja uygun olamayız. İmajı biz yaratırız ama bu imaj gerçek değildir. Asla bu imaja uygun mükemmellikte olamayız. Asla!

Mükemmel olmadığımız için de kendimizi reddederiz. Bu öz-reddedişin boyutu, yetişkinlerin onurumuzu ne kadar etkin bir biçimde zedelediğiyle doğru orantılıdır. Yeterince ehlileştirildikten sonra artık sorun başkaları için yeterince iyi olmak değildir. Kendimiz için yeterince iyi değilizdir. Çünkü kendi mükemmellik imajımıza uygun değilizdir. Olmayı arzu ettiğimiz gibi olamadığımız için olmamız gerektiğine inandığımız gibi biri olamadığımız için kendimizi affedemeyiz. Mükemmel olmadığımız için kendimizi affedemeyiz.

Olmamız gerektiğine inandığımız gibi olmadığımızı biliriz. Bu yüzden kendimizi sahte, riyakar, dürüst olmayan biri gibi hissederiz. Kendimizi gizlemeye çalışırız. Olmadığımız biri olduğumuz imajını vermeye, kendimizi öyleymişiz gibi göstermeye çalışırız. Bunun sonucunda kendimizin suni olduğunu hissederiz ve başkalarının bunu görmesini engellemek için sosyal maskeler giyeriz. Başkalarının bizim göründüğümüz gibi olmadığımızı keşfetmelerinden çok korkarız. Başkalarını da kendi mükemmellik anlayışımıza göre yargılarız. Doğal olarak onların da asla bizim beklentilerimizi karşılaması mümkün olmayacaktır.

Başkalarını memnun etmek adına onurumuzdan feragat ederiz. Başkalarından kabul görmek adına bedenimize zarar vermeyi bile göze alırız. Ergenlik çağında gençlerin, sırf diğer gençler tarafından reddedilmemek için drug (uyuşturucu ve uyarıcı maddeler) kullanmaya başladıklarını görüyoruz. Gençler esas problemin, kendilerini kabul etmemek olduğunun farkında değil. Kendilerini reddediyorlar çünkü göründükleri gibi değiller. İstedikleri gibi olamadıkları için de utanç ve suçluluk duygusu hissediyorlar. İnsanlar, olmaları gerektiğine inandıkları gibi olmadıkları için kendilerini sonu olmayan bir cezaya mahkum ediyorlar. Kendisini çok fazla horlayarak ve taciz ederek cezalandıran insan bununla da yetinmiyor, başkalarını da onu sömürmesi, horlaması ve kullanması için kullanıyor.

Ama hiç kimse bizi kendimizden daha fazla sömüremez, hiç kimse bize kendimizin zarar verdiğinden daha fazla zarar veremez. Bize zarar veren, içimizdeki Yargıç, Kurban ve inanç sistemimizdir. Evet, insanlar annelerinin, babalarının, karılarının, kocalarının kendilerini sömürdüğünü, kullandığını, suiistimal ettiğini söylüyor ama biz bunun çok daha fazlasını kendimize yapıyoruz. İçimizdeki Yargıçtan daha kötü bir yargıç olamaz. Başkalarının önünde bir yanlış yaptığımızda hatamızı kabul etmeyip örtbas etmeye çalışırız. Ama kendi başımıza kalır kalmaz, Yargıç öylesine üzerimize gelir ki, suçluluk duygusu öylesine güçlüdür ki, kendimizi aptal, kötü ve değersiz hissederiz.

Tüm hayatınız boyunca hiç kimse, kendinize verdiğiniz zarar kadar size zarar vermedi, sizi sömüremedi. Öz-zararınızın sınırı ölçüsünde başkalarının size zarar vermesine izin verirsiniz. Eğer birisi size, sizin kendinize verdiğiniz zarardan daha fazla zarar vermeye kalkarsa, sizi kendinizden fazla sömürmeye çalışırsa, o insandan uzaklaşırsınız. Ama sizi sizden birazcık az sömürdükleri ve zarar verdikleri sürece o ilişkiyi sürdürürsünüz ve sonuna kadar tolerans gösterir ve katlanırsınız.

Kendinizi çok fazla horlayan biri iseniz, birisinin sizi dövmesine, aşağılamasına, size pislikmişsiniz gibi davranmasına bile katlanırsınız. Niçin? Çünkü inanç sisteminiz şöyle der: "Bunu hak ediyorsun. Bu kişi benimle kalarak bana katlanıyor. Ben sevgi ve saygıya layık biri değilim. Ben değerli biri değilim. Yeterince iyi değilim."

Başkaları tarafından kabul görmeye ve sevilmeye her birimizin ihtiyacı var ama öncelikle kendimizi kabul etmeyi ve sevmeyi bilmiyoruz. Kendimize duyduğumuz öz-sevgi ne kadar çoksa, öz-zarar da o kadar az olur. Öz-zarar, öz-reddedişten kaynaklanır. Öz-reddediş ise, mükemmellik imajına sahip olup, asla bu ideale, bu mükemmelliğe erişememekten kaynaklanır.

Kendimizi reddetmenin nedeni mükemmellik imajına sahip olmamızdır. Bu nedenle, kendimizi olduğumuz gibi kabul etmeyiz; bu nedenle başkalarını olduğu gibi kabul etmeyiz.

YENİ BİR RÜYANIN BAŞLANGICI

Kendinizle, başka insanlarla, Tanrıyla, toplumla, anne babanızla, eşinizle, çocuklarınızla, yaşam rüyanızla binlerce anlaşma yaptınız. Ama bunların içindeki önemli anlaşmalar, kendinizle yaptığınız anlaşmalardır. Bu anlaşmalarda kendinize kim olduğunuzu, ne hissettiğinizi, neye inandığınızı ve nasıl davrandığınızı belirlediniz. Sonuca, "kişiliğimiz" diyorsunuz.

Bu anlaşmalarda şunları söylüyorsunuz: "Ben buyum. Bunlara inanıyorum. Bazı şeyleri yapabilirim, bazı şeyleri yapamam. Bu gerçek, bu fantezi. Bu mümkün, bu imkansız."

Tek bir anlaşma büyük bir problem yaratmaz, ama bizim acı çekmemize, yaşamda başarısız olmamıza neden olan birçok anlaşmamız var.

Eğer doyumlu ve haz dolu bir yaşam sürmek istiyorsanız, korku temelli anlaşmalarınızı feshetme cesaretini göstermeniz gerekiyor. Bireysel gücünüze sahip çıkmanız gerekiyor. Korku temelli anlaşmalar çok enerji emerek bizi tüketir, sevgi temelli anlaşmalar ise az enerjiyle çok şey yaratır. Ve daima ekstra enerjiye sahip oluruz.

Her birimiz bir miktar bireysel güç ile doğarız. Ve bu gücü her gün biraz daha artırabiliriz. Ne yazık ki, tüm bireysel gücümüzü önce tüm yaptığımız anlaşmaları yaratmakla, sonra da bunlara uymaya çalışmakla tüketiriz. Sonuçta kendimizi güçsüz hissederiz. Sadece günlerimizi idare etmeye, varolmaya yetecek kadar gücümüz kalır. Anlaşmalarımızı sürdürmek için ziyan ettiğimiz gücümüz, bizi toplumsal rüya içinde tutsak kılar. Küçücük bir anlaşmayı bile değiştirme gücünü kendimizde bulamazken tüm bireysel rüyamızı nasıl değiştirebiliriz ki?

Eğer yaşamımızı yöneten anlaşmalarımızın farkında olursak ve yaşam rüyamızdan hoşnut değilsek, anlaşmaları değiştirmemiz gerekir.

Nihayet anlaşmaları değiştirmeye hazır olduğumuz noktada, enerjimizi çalan korku temelli anlaşmalarımızı değiştirmeye yardımcı olacak çok yönlü dört anlaşma vardır.

Sizi tüketen her anlaşmayı bozduğunuzda, onu yaratmada kullandığınız tüm enerji açığa çıkarak size geri döner. Eğer bu dört yeni anlaşmayı kabul ederseniz, bu yeni anlaşmalar, eski anlaşmalarınızın tümünü değiştirmek için gereken bireysel gücü de beraberinde getirecektir.

Dört Anlaşmayı yapabilmek için çok güçlü iradeye sahip olmanız gerekiyor. Ama yaşamınızı bu anlaşmalar doğrultusunda yaşamaya başlayabilirseniz, yaşamınızdaki dönüşüm şaşkınlık verici boyutlarda olacaktır. Cehennem dramasının gözünüzün önünde kaybolduğuna tanık olacaksınız. Cehennem rüyasının içinde yaşamak yerine, yeni bir rüya yaratacaksınız.

Bireysel cennet rüyanızı.

Sonsuzluğun ötesi içinizdedir

2

BİRİNCİ ANLAŞMA

Sonsuzluğun ötesi içinizdedir

Kullandığın Sözcükleri Özenle Seç

İlk anlaşma dört anlaşmanın en önemlisidir ve aynı zamanda uyulması en zor olan anlaşmadır. Sadece bu anlaşmayla bile dünyadaki cennet denilen varoluş boyutuna erişebilirsiniz.

Birinci anlaşma, *kullandığınız sözcüklerde kusursuz olabilmenizdir*. Bu çok basit görünüyor değil mi? Ama çok, çok güçlüdür. Neden sözcükleriniz? Sözler sizin yaratma gücünüzdür. Sözleriniz, size doğrudan Tanrıdan gelen armağandır. İncil, evrenin yaratılışından şöyle bahseder: "Önce söz vardı, Tanrı sözdür, söz Tanrıdır." Yaratıcı gücünüzü sözle ifade edersiniz. Her şeyi söz aracılığıyla gerçek kılarsınız. Hangi dili konuşursanız konuşun, niyetiniz söz aracılığıyla şekil bulur. Rüyalarınız, hissettikleriniz ve gerçekten kim olduğunuz söz ile ifade bulur.

Söz, sadece bir ses ya da yazı sembolü değildir. Söz, bir güçtür; kendinizi ifade etme ve iletişim kurma gücüdür. Sözle düşünürsünüz. Düşünmekte kullandığınız sözlerle yaşamınızdaki olayları yaratırsınız.

Siz konuşabiliyorsunuz. Dünyada başka hangi hayvan konuşabiliyor? Söz, insan olarak sahip olduğunuz en güçlü araçtır; söz büyü aracıdır. Ama iki yanı keskin kılıç gibi, sözünüz en güzel rüyayı da yaratabilir, etrafınızdaki her şeyi de yok edebilir.

Kılıcın bir yanı sözün kötüye kullanımıdır. Bu kullanım cehennemi yaratır. Diğer yanı ise sözün mükemmel kullanımıdır. Bu da güzellik, sevgi ve dünyadaki cenneti yaratır. Nasıl kullanıldığına bağlı olarak söz sizi özgürleştirebilir ya da sizi bildiğiniz tutsaklığınızın çok ötesinde esareti altına alabilir.

Söz öylesine güçlüdür ki, bir söz milyonlarca insanın yaşamını değiştirebilir ya da yok edebilir. Yıllarca önce Almanya'da bir adam, sözü kullanarak, tüm ülke insanlarını manipüle etti. Sözünün gücüyle tüm ülkeyi dünya savaşına soktu. Çok sayıda insanı korkunç boyutlarda şiddet uygulamaya ikna etti.

Bu adam sözle halkın korkularını harekete geçirdi. Büyük bir patlama gibi tüm dünyada öldürme ve savaş kol geziyordu. İnsanlar insanları yok etti çünkü her biri diğerinden korkuyordu. Hitler'in korku temelli inançlara ve anlaşmalara dayanan sözü, asırlar boyu hatırlanacaktır.

İnsan zihni, sürekli tohumların ekildiği verimli toprak gibidir. Tohumlar düşünceler, fikirler ve kavramlardır. Söz tohum gibidir ve insan zihni son derece verimlidir! Bir tohum, bir düşünce ekersiniz ve o büyür. Burada tek problem şudur: Genellikle bu verimli toprağa korku tohumları ekilir.

Her insanın zihni verimlidir. Önemli olan oraya ne tür tohumun ekilip üretildiğidir.

Hitler'i ele alalım: O etrafındaki zihinlere korku tohumları gönderdi. Bu tohumlar çok güçlü büyüdü ve kitlesel yok ediş başarıldı.

Sözün olağanüstü gücünü anladığımızda, ağzımızdan ne tür bir güç çıktığını da anlarız. Zihnimize ekilmiş bir korku ya da şüphe tohumu, ardı ardına yaşam dramaları yaratabilir. Bir söz büyü gibidir. İnsanlar kara büyücüler gibi sözü kullanıyor, düşüncesizce kullandıkları sözle birbirlerine büyü yapıyor.

Her insan bir büyücüdür. Sözümüzle bir insana büyü de yapabiliriz, onu büyüden de kurtarabiliriz. Fikirlerimizle sürekli insanlara büyü yapıyoruz. Örneğin, bir arkadaşıma rastlıyorum ve aklıma gelen ilk düşüncemi ona söylüyorum. Ona, "Hmmm! Yüzündeki renk, kanser olacak insanların yüzündeki renk gibi" diyorum. Arkadaşım eğer sözümü dinlerse ve sözüme inanırsa sözümle anlaşma yapmış olur. Ve bir seneden daha az bir zamanda kanserden ölür.

Bu sözün gücüdür.

Ehlileştirme sürecinde ebeveynlerimiz ve kardeşlerimiz bizimle ilgili düşüncelerini düşüncesizce söylediler. Biz bu düşüncelere inandık ve bu düşüncelerle ilgili korkularla yaşadık. Bize yüzmede, sporda ya da yazmada iyi olmadığımız söylendiğinde bu sözlere inandık.

Birisi bir kıza bakıp "Bu kız çirkin" derse kız bu sözü duyar ve çirkin olduğuna inanır. Ve çirkin olduğu inancıyla büyür. Gerçekte ne kadar güzel olursa olsun, bu anlaşmayı yaptığı sürece çirkin olduğuna inanacaktır. Kız, çirkin sözünün büyüsü altındadır.

Bir söz, dikkatimize çapa atarak zihnimize girebilir ve tüm inanç sistemini iyiye ya da kötüye doğru değiştirebilir.

Bir başka örnek: Aptal olduğunuza inanabilirsiniz ve buna kendinizi bildiğiniz günden beri inanabiliyor olabilirsiniz. Bu anlaşma çok sinsice olabilir ve öyle şeyleri size yaptırır ki, aptal olduğunuz konusunda iyice emin olursunuz. Yaptığınız her minik hatada bile "Keşke zeki olsaydım. Bunu yaptığıma göre gerçekten aptal olmalıyım" diye düşünürsünüz.

Zihin aptal çapasının inancı doğrultusunda size aptal olduğunuza dair sayısız kanıt sunar.

Bir gün, bir kimse, zihninize yine bir başka sözle bir başka çapa atar. Bu, aptal olmadığınıza dair bir çapadır. Bu insanın söylediğine inanırsanız, yeni bir anlaşma yaparsınız. Sonuç olarak, artık kendinizi aptal hissetmezsiniz ve aptalca davranamazsınız. Büyü bozulmuştur, sadece sözün gücüyle.

Ama aptal olduğunuza inanıyorsanız, birisi daha zihninize aptal olduğunuza dair bir çapa atarsa ve "Evet, sen gerçekten tanıdığım en aptal insansın" derse anlaşma daha da kuvvetli ve güçlü hale gelecektir.

Sözlerinizin arı olması çok önemlidir. İlk anlaşma "sözleriniz arı, kusursuz, eksiksiz olmalıdır" dedik. *(Be impeccable with your word -impeccable,* saf, arı, temiz, kusursuz, eksiksiz anlamına geliyor -Ç.N.)

Şimdi *impeccable* sözcüğünün ne anlama geldiğini irdeleyelim. *İmpeccable* "günahsız" demektir. İmpeccable, Latince "günah" anlamına gelen *pecatus*tan gelir. *İmpeccable* "günahsız" demektir. Dinler günah ve günahkarlardan bahseder. Şimdi "günah" sözcüğünün gerçekten ne anlama geldiğini anlamaya çalışalım.

Günah kendi doğana karşı yaptığın her şeydir. Kendi varlığına karşı hissettiğin, inandığın ya da söylediğin her şey günahtır. Herhangi bir şey için kendini yargıladığında veya suçladığında kendine karşı olmuş olursun. Günahsız olmak bunun tam zıddıdır. Saflık, arılık (impeccable) kendine düşmanca davranmamaktır. Günahsız olmak demek davranışlarının sorumluluğunu üstlenmek ama kendini yargılamamak ve suçlamamak anlamına gelir.

Bu bakış açısıyla günah kavramı ahlaki veya dinsel bir şey olmaktan çıkar. Sağduyunun sesine dönüşür.

Günah kendini reddediş ile başlar. Öz-reddediş işlediğiniz en büyük günahtır. Dinsel terimle, öz-reddediş "ölümcül günah"tır. Çünkü kişiyi ölüme götürür. Günahsız olmak ise yaşama yöneliktir.

Sözlerinizde günahsız olmak, sözleri kendinize karşı kullanmamaktır. Size aptal olduğunuzu söylediğimde, görünüşte bu sözü size karşı kullanmış olduğum izlenimini verir. Oysa gerçekte bu sözü kendime karşı kullanmış olurum. Çünkü size aptal dediğimde, benden nefret edersiniz. Sizin benden nefret etmeniz benim için iyi değildir. Bu nedenle, ben kızgınlık duyup, kullandığım sözle size duygusal zehir akıttığımda, bu sözü kendime karşı kullanmış olurum.

Eğer kendimi seven biriysem, bu sevgiyi davranışlarımla size de gösteririm ve size sarf ettiğim sözlerde sevgimi ifade ederim. Bu davranış, benzer davranış tepkisi yaratır. Sizi seversem, beni seversiniz. Size hakaret edersem, bana hakaret edersiniz. Size şükran duyguları beslersem siz de bana benzer duygular hissedersiniz. Size bencil davranırsam, siz de bana karşı bencil davranırsınız. Sözümü sizin üzerinizde büyü yapmak için kullanırsam, siz de büyünüzü üzerimde kullanırsınız.

Sözünüzü özenli bir seçicilikle kullanmak, "günahsız" sözler kullanmak enerjinizin doğru kullanımıdır. Bu, enerjinizi sevgi ve gerçek olan yöne doğru kullanmak anlamına gelir.

Kendinizle sözünüzde "günahsız" olacağınız doğrultusunda bir anlaşma yaparsanız, sadece bu niyette olmanız bile, içinizde birikmiş olan duygusal zehirlerden arınmanız için yeterli olacaktır. Gerçek, sizin ağzınızdan dile geldiğinde sizi arındırır ve özgürleştirir.

Fakat bu anlaşmayı yapmak zordur. Çünkü biz tam zıddı bir şekilde davranmayı öğrendik. Başkalarıyla iletişimimizde yalan söylemeyi alışkanlık haline getirdik. Daha da önemlisi kendimizle olan iletişimimizde de yalan söylüyoruz.

Sözümüzde "günahsız" değiliz.

Sözün gücü, cehennemde tümüyle yanlış kullanılır. Sözü, küfretmek, suçlamak, utandırmak, yok etmek için kullanıyoruz. Bazen sözü doğru kullandığımız da oluyor. Ama ne yazık ki sık değil. Genellikle sözü kendi bireysel zehrimizi akıtmak için kullanıyoruz -kızgınlığımızı, kıskançlığımızı, çekememezliğimizi ve nefretimizi ifade etmek için.

Söz saf büyüdür. Söz biz insanların sahip olduğu en güçlü armağandır. Ve sözü kendimize karşı kullanıp duruyoruz. Sözle intikam planı yapıyor. Sözle dünyada karmaşa yaratıyoruz. Sözü ırklar, ülkeler, insanlar, aileler arasında nefret yaratmak için kullanıyoruz.

Sözü o kadar sık yanlışa, kötüye kullanıyoruz ki sürekli cehennem rüyasını yaratıp bu rüyada yaşamaya devam ediyoruz. Sözün kötüye kullanımıyla birbirimizi aşağıya doğru çekiyor, birbirimizi korku ve şüphe kıskacında hapsediyoruz.

Söz büyüdür. İnsan sözü kullanma yetisine sahip bir büyücüdür. Sözün gücünü yanlış biçimde kullanarak sürekli kara büyü yaptığımız söylenebilir. Sözün büyü olduğunun farkında bile olmaksızın.

Zeki ve iyi yürekli bir kadın tanıyorum. Kadının çok sevdiği bir kızı vardı. Bir gün kadın işten eve yorgun argın geldi. Kötü bir gün geçirmişti. Kendisini gergin hissediyordu ve baş ağrısı çekiyordu. İstediği tek şey sessiz, sakin bir ortamda biraz olsun dinlenebilmekti. Ama küçük kızı mutlu bir şekilde şarkı söylüyor, hoplayıp zıplıyordu. Küçük kız annesinin ruh halinden habersiz, kendi dünyasında, kendi rüyasında mutlu ve enerjikti. Kendisini çok iyi hissediyor, neşeyle avazı çıktığı kadar bağırarak şarkı söylüyor ve koltukların üzerinde hoplayıp duruyordu.

Küçük kızın gittikçe yükselen tonda söylediği şarkı ve hareketliliği annesinin baş ağrısını iyice artırmıştı. Bir an geldi ve anne kontrolünü kaybetti. Kızgınlıkla, küçük güzel kızına bağırdı. "Kes sesini! O çirkin sesini kes. Sus ve otur!"

Gerçekte, annesinin o anda herhangi bir sese karşı toleransı sıfırdı. Gerçek, küçük kızın sesinin çirkin olması değildi. Ama küçük kız annesinin sözüne inandı. Ve o anda kendisiyle bir anlaşma yaptı. Küçük kız o andan itibaren bir daha şarkı söylemedi. Çünkü sesinin çirkin olduğuna inanmıştı. Sesiyle insanlara rahatsızlık vermemeliydi.

Okulda da içine kapanık, utangaç bir çocuk haline geldi. Derslerde bile şarkılara katılmıyordu. Hatta başkalarıyla konuşmakta bile zorlanıyordu. Yaptığı bir anlaşmayla küçük kız için her şey değişmişti. O artık sevgi ve kabul görmek için duygularını bastırması gerektiğine inanıyordu.

Herhangi bir fikri işitip ona inandığımızda bir anlaşma yaparız. Ve bu anlaşma inanç sistemimizin bir parçası olur.

Bu küçük kız büyüdü ve genç kız oldu ama sesi güzel olmasına rağmen bir daha şarkı söylemedi. Tek bir büyü, onun hayatını derinden etkiledi. Tek bir söz onun birçok kompleks edinmesine yol açtı. Ve bu büyü ona onu çok seven birisi tarafından yapıldı: Kendi annesi.

Annesi, sözünün çocuğu üzerinde nasıl bir etki yarattığının farkında bile olmadı. Kızının üzerinde kara büyü yaptığının farkında bile değildi. Anne sözünün gücünü bilmiyordu. Bu yüzden onu suçlamak gerekmez. Anne, kendi annesinin, babasının ve diğerlerinin değişik yollarla kendisine yaptığı şekilde, öğrendiği şekilde davranmıştı.

Sözün yanlış kullanımı nesilden nesle aktarılır. Benzer şeyleri kendi çocuklarımıza ne kadar sık yapıyoruz. Onlarla ilgili olumsuz birçok fikir beyan ediyoruz. Ve çocuklarımız kara büyüyü yıllarca taşıyor. Kara büyüyü bize yapanlar bizi seven insanlar oluyor. Ama ne yaptıklarının farkında bile olmaksızın. Bu nedenle onları affetmeliyiz, onlar ne yaptığını bilmiyor.

Bir başka örnek: Sabah kendinizi çok mutlu hissederek uyanıyorsunuz. Kendinizi harika hissediyorsunuz. Aynanın önünde bir iki saat kalıp, özenle kendinizi güzelleştiriyorsunuz. Güzel ve mutlu bir şekilde caddede yürürken, yakın bir arkadaşınızla karşılaşıyorsunuz. Arkadaşınız sizi baştan aşağı süzerek şöyle diyor: "Ne oldu sana böyle? Bu elbiseyi çok mu aradın? Sana hiç yakışmamış. Üzerinde kötü duruyor." Bu söz, sizi cehenneme götürmek için yeterli oluyor. Belki arkadaşınız, söylediği şeyleri sizi incitmek için söyledi. Ve incitti.

Onun fikrini kabul ettiğiniz anda bu bir anlaşmaya dönüşür. Ve siz tüm gücünüzü bu anlaşmaya yöneltirsiniz. Bir fikrin, kara büyüye dönüşmesi böyle olur. Bu tür büyüleri bozmak zordur. Büyüyü bozmanın tek yolu gerçeğe dayalı yeni bir anlaşma yapmaktır. Gerçek, sözünüzde "günahsız" olmanız için gereken en önemli niteliktir.

Kılıcın bir yanındaki yalanlar kara büyüyü yaratır, diğer yanındaki gerçek, kara büyüyü bozacak güce sahiptir.

Yalnızca gerçek bizi özgür kılacaktır.

Gündelik insan ilişkilerine baktığımızda sözümüzle birbirimize kaç kez büyü yaptığımızı bir düşünün.

Kara büyünün en kötü şekli *dedikodu*dur. Dedikodu, kara büyünün en kötü halidir. Çünkü saf zehirdir.

Dedikodu yapmayı da anlaşmayla öğrendik. Çocukluk yıllarında, yetişkinlerin sürekli dedikodu yaptıklarına şahit olduk. Yetişkinler başkaları ile ilgili düşüncelerini fütursuzca beyan ediyordu. Onların tanımadıkları insanlarla ilgili fikirleri bile vardı. Duygusal zehir, fikirlerle birlikte aktarılır. Ve biz bunun, iletişimin normal yolu olduğuna inanarak büyürüz.

İnsan toplumlarında dedikodu iletişimin ana ekseni haline geldi. Hatta birbirimize yakınlık hissetmenin bir yolu haline geldi.

Başkasının da kendisini bizim kadar kötü hissettiğini gördüğümüzde kendimizi iyi hissediyoruz. Eski bilinen bir söz vardır: "Mutsuzluk arkadaş arar." Cehennemde acı çeken kişi yalnız başına olmak istemez. Korku ve acı toplumsal rüyanın önemli bir parçasıdır.

İnsan zihnini bir bilgisayara benzetirsek, dedikoduyu bilgisayar virüsüyle kıyaslayabiliriz. Bilgisayar virüsü yazılımında diğer kodlarda kullanılan, aynı bilgisayar dili kullanılır ama kötü bir amaçla.

Bu kod hiç beklemediğiniz bir anda, siz farkında bile olmadan sizin bilgisayar programınıza yerleştirilir. Virüs kodu bilgisayarınızın doğru işlem yapmasını engeller ya da çalışmasını tamamen durdurur. Kodlar çelişkili mesajlarla karmakarışık hale gelir ve iyi sonuç almak artık mümkün olamaz.

Dedikodu da aynı şekilde çalışır. Örneğin, yeni bir öğretmenle yeni bir sınıfa başlıyorsunuz. Yeni bir derse başlayacağınız için heyecanlısınız. Dersin ilk gününde o dersi o öğretmenden daha önce almış birisine rastlarsınız. Bu kişi size şöyle der: "Oh, o öğretmen kendini beğenmiş aptalın teki! Hem konusuna hakim değil, hem de sapığın teki. Dikkatli ol!"

Siz derhal bu sözlerin ve kişinin duygusal kodunun etkisi altında kalırsınız. Oysa kişinin bu sözleri söylemesinin ardında yatan amacı bilmiyorsunuz. Bu kişi belki o dersten kaldığı için kızgındır ya da korku ve önyargılarla varsayımda bulunuyordur. Ama bilgiyi bir çocuk gibi sorgulamadan almayı öğrendiğiniz için bir parçanız bu dedikoduya inanır ve sınıfa öyle girersiniz.

Öğretmen dersini anlatmaya başladıktan sonra içinizdeki zehrin kabardığını hissedersiniz. Öğretmeni size dedikodu yapan kişinin gözüyle gördüğünüzün farkında bile olmazsınız.

Daha sonra sınıftaki diğer öğrencilerle bu konuyla ilgili konuşmaya başlarsınız. Onlar da öğretmeni aynı gözle görmeye başlar: aptal ve sapık. Dersten nefret etmeye başlarsınız ve dersi bırakmaya karar verirsiniz. Bu kararınızdan dolayı öğretmeni suçlarsınız. Oysa esas suçlu dedikodunun kendisidir.

Tüm bu karmaşaya küçücük bir virüs neden olur. Küçücük bir yanlış bilgi insanlar arasındaki iletişimi koparır. Bundan iletişimin iki yanında yer alan tüm insanlar etkilenir ve zehirlenir ve bu zehir bulaşıcıdır.

Başkalarının size dedikodu yaptığı her an zihninize bilgisayar virüsü soktuklarını düşünün. Bu da zihninizin gittikçe berraklığını yitirmesine neden olur. Siz de bu dedikoduyu, virüsü başkalarına bulaştırırsınız. Çünkü kendi karmaşanızı açıklığa kavuşturmanın ve zehirden biraz olsun kurtulmanın bu yolla mümkün olacağını sanırsınız.

Şimdi bu modelin, dünyadaki tüm insanlar arasında sonu gelmeyen bir zincir oluşturduğunu hayal edin.

Bunun sonucu olarak dünyadaki tüm insanlar bilgi ağındaki bilgileri çarpıtılmış biçimde alır. Çünkü iletişim ağı zehirli ve bulaşıcı virüsle tıkanmıştır.

Yine hatırlatacak olursak Toltekler bu bulaşıcı virüse *mitote* diyor. Yani binlerce farklı ses zihinde aynı anda konuşmaya çalışarak zihinde müthiş bir kaos yaratıyor.

Kara büyücülerin daha da kötüleri bilgisayar şifrelerini kıran bir "hacker" gibi virüsü bilerek yayar. Sizin ya da bir başkasının birisine kızgın olduğu bir anı düşünün. Bir kişiye kızgınsınız ve intikam almak istiyorsunuz. Derhal o kişiyle ilgili olumsuz bir şeyi etrafınızdaki herkese anlatmaya başlarsınız. Amacınız zehri yaymak ve o kişinin kendisini kötü hissetmesini sağlamaktır.

Yaydığınız zehir, kişinin sizinle iyi günlerinizde paylaştığı bir sır, başkalarından duyduğunuz ya da bir zamanlar şahit olduğunuz olumsuz bir şey ya da düpedüz iftira olabilir.

Çocukken bu davranışları düşüncesizce sergileriz. Ama büyüdükçe çabalarımızda daha hesaplı kitaplı oluruz. İntikam almak istediğimiz kişiyi bilinçli ve planlı bir şekilde ezmeye çalışırız. Sonra da kendimize yalan söyleriz. Kendimizi haklı çıkarmak için kişinin bu cezayı hak ettiğine kendimizi inandırırız.

Dünyaya bilgisayar virüsünün gözüyle baktığımızda en acımasız davranışı bile haklı görmek kolaylaşır. Ama göremediğimiz şey şudur: Sözü yanlış kullandığımız her an kendimizi cehennem bataklığının içine biraz daha çekeriz.

Yıllar boyu hem başkalarının sözleri aracılığıyla dedikodu ve büyünün etkisine gireriz, hem de kendimizle ilgili kendimizin söylediği sözlerle aynı olumsuz etkiyi yaratırız.

İnsan sürekli kendisiyle konuşan bir varlıktır. Çoğu kez kendimize şu tür sözler söyleriz: "Oh, şişman görünüyorum. Çirkinim. Yaşlanıyorum. Saçlarım dökülüyor. Aptalım. Hiçbir şeyi anlayamıyorum... Asla yeterince iyi olamayacağım, asla mükemmel olamayacağım. Budalanın tekiyim. Başarısızım." Sözü kendimize karşı nasıl kullandığımızı görüyor musunuz? Sözün ne *olduğunu* ve sözün ne *yaptığını* anlamaya başlamamız gerekiyor.

Birinci anlaşmayı *(Sözünüzü Özenle Seçin)* kavradığınızda, yaşamınızda olabilecek tüm değişimleri de görmeye başlarsınız. Önce kendinizle olan ilişkinizde değişim olur, sonra diğer insanlarla, özellikle sevdiğiniz kişilerle olan ilişkileriniz derinden farklılaşır.

Şimdi düşünün. Haklı çıkmak adına, başkalarının sizin bakış açınızı desteklemesini sağlamak adına kaç kez sevdiklerinizle ilgili dedikodu yaptığınızı bir düşünün. Sevdiğiniz kişileri başkalarına çekiştirdiğiniz, onlarla ilgili şikayetlerde bulunduğunuz anları bir düşünün. Kaç kez kendi düşüncenizin doğru olduğunu kanıtlamak uğruna sevdiğiniz biri hakkında zehir saçarak başka insanların dikkatlerine çapa attınız.

Sizin fikirleriniz sizin bakış açınızdan başka bir şey değil. İlle de doğru olması gerekmiyor. Fikirleriniz inançlarınızdan, egonuzdan ve bireysel rüyanızdan kaynaklanıyor. Zehri yaratıyoruz ve başkalarına yayıyoruz çünkü kendi bakış açımızın doğru olduğunu hissetmek istiyoruz.

Birinci anlaşmayı benimsersek ve sözümüzü özenle seçersek, bir süre sonra zihnimiz ve bireysel ilişkilerimizdeki iletişimimiz duygusal zehirden arınacaktır. Buna kedimiz, köpeğimiz ile kurduğumuz iletişim de dahildir.

Sözlerinize gösterdiğiniz dikkat ve seçimlilik size bir şey daha kazandıracaktır: bağışıklık. Başkalarının negatif telkinlerine karşı bağışıklık kazanacak ve size söylenen olumsuz sözlerden etkilenmez hale geleceksiniz.

Olumsuz fikirleri kabul etmek ancak olumsuz fikirlerin verimli olduğu bir zihinde olabilir. Siz sözlerinizde saflığı ve gerçeği ifade ettiğiniz sürece, zihniniz kara büyüden gelen sözler için verimli bir ortam oluşturmaz. Böyle bir zihin sadece sevgiden gelen sözler için verimli olur.

Sözlerinizin saflık derecesini, öz-sevginizin boyutuyla ölçebilirsiniz. Kendinizi ne kadar sevdiğiniz ve kendinizle ilgili ne hissettiğiniz, sözünüzün kalitesi ve onurluluğuyla doğru orantılıdır.

Sözleriniz "günahsız" ise, kendinizi iyi hissedersiniz. Kendinizi mutlu ve huzurlu hissedersiniz.

Cehennem rüyasını sadece sözlerinizde "günahsız" olma anlaşması yaparak aşabilirsiniz. Şu anda bu tohumu zihninize ekiyorum. Tohumun gelişip gelişmeyeceği, zihninizin sevgi tohumuna uygun ortamı olup olmamasına bağlıdır. Kendinizle bu anlaşmayı yapmak size bağlı.

Bu tohuma bakın, onu besleyin, büyütün. Bu tohum zihninizde geliştikçe, daha fazla tohumlar yaratacaktır. Ve sevgi tohumları, korku tohumlarının yerini alacaktır.

Bu birinci anlaşma zihninizde sevgi tohumları için verimli ortam oluşmasını sağlayacaktır.

Eğer mutlu olmak istiyorsanız, özgür olmak istiyorsanız, cehennem boyutunda varoluşunuzu aşmak istiyorsanız bu ilk anlaşmayı kendinizle yapmalısınız.

Bu anlaşma çok güçlüdür. Sözlerinizi doğru kullanın. Sözlerinizi sevginizi paylaşmak için kullanın. Beyaz büyüyü kullanın ve bunu kullanmaya kendinizle başlayın. Kendinize ne kadar harika, ne kadar özgün ve büyük olduğunuzu söyleyin. Kendinizi ne kadar sevdiğinizi söyleyin. Sözlerinizi size acı veren küçük anlaşmalarınızı bozmak için kullanın.

Bunu yapabilirsiniz. Bu mümkün. Çünkü ben yaptım ve ben sizden daha iyi değilim. Biz tıpatıp aynıyız. Aynı zihne ve aynı bedene sahibiz; biz insanız. Eğer ben eski anlaşmaları bozup, yeni anlaşmalar yaratabildiysem, siz de yapabilirsiniz. Eğer ben sözlerimde "günahsız" olabiliyorsam, neden siz olamayasınız? Sadece bu anlaşma bile hayatınızı bütünüyle değiştirebilir. Sizi bireysel özgürlüğe, büyük başarılara ve bolluk bilincine doğru götürebilir. Tüm korkularınızı, haz ve sevgiye dönüştürebilir.

Bu anlaşmayla neler yaratabileceğinizi bir düşünün. Korku rüyasını aşarak farklı bir rüya yaratabilirsiniz. Cehennemde yaşayan binlerce insanın arasında bile cennette yaşayabilirsiniz. Çünkü artık cehenneme karşı bağışıklık kazanırsınız. Cehennem size yaklaşamaz.

Sonsuzluğun ötesi içinizdedir

3

İKİNCİ ANLAŞMA

Sonsuzluğun ötesi içinizdedir

Hiçbir Şeyi Kişisel Algılama

Bundan sonraki üç anlaşma aslında ilk anlaşmadan doğar. İkinci anlaşma, *hiçbir şeyi kişisel algılamamaktır.*

Etrafınızda olan biten hiçbir şeyi kişisel algılamayın. Daha önce verdiğimiz bir örneği kullanalım. Sizi caddede gördüğümde, sizi tanımadığım halde "Hey, sen bir aptalsın" dersem bu sizinle değil, benimle ilgilidir. Eğer bunu kişisel algılarsanız, aptal olduğunuza bile inanabilirsiniz. Belki de şöyle düşünürsünüz: "O aptal olduğumu nasıl biliyor? İçimi mi görüyor, yoksa herkes ne kadar aptal olduğumu görebiliyor mu?"

Kişisel algılamak, ancak söylenen şeye katılmakla mümkündür. Söylenen şeyle anlaşma yaptığınız anda, zehir zihninize yayılır ve cehennem rüyasının tutsağı olursunuz. Sizin bu tuzağa düşmenizin nedeni *bireysel önemlilik* denilen şeydir.

Bireysel önemlilik ya da kişisel algılamak, bencilliğin en üst düzeydeki ifadesidir. Çünkü her şeyin "kendimizle ilgili" olduğunu varsayarız. Eğitim sürecimiz içinde, ehlileştirilme sürecimiz içinde her şeyi kişisel algılamayı da öğreniriz. Her şeyin merkezinde kendimizin olduğunu düşünürüz. Ben, ben, ben, daima ben!

Diğer insanlar merkeze sizi koyan hiçbir şey yapamaz. Yaptıkları her şey kendileriyle ilgilidir. Herkes kendi rüyasını yaşar, kendi zihinlerinde oluşturduğu rüyayı yaşar. Bu rüyalar bizim rüyamızdan tümüyle farklıdır.

Bir şeyi kişisel algıladığımızda, onların bizim dünyamızın nasıl olduğunu bildiklerini varsayarız. Ve kendi dünyamızı onların dünyasına empoze etmeye çalışırız.

Durumun son derece kişiselmiş gibi göründüğü anlarda bile, başkaları size direkt olarak hakaret ediyor olsa bile, yine de sizinle ilgisi yoktur. Söyledikleri ve yaptıkları şeyler, dile getirdikleri fikirler kendi zihinlerinde yaptıkları anlaşmalar doğrultusundadır. Kişilerin bakış açıları, ehlileştirme sürecindeki programlamalarından oluşur.

Birisi size, "Hey sen çok çirkinsin" dese bile, bunu kişisel algılamayın. Çünkü gerçek şu ki, bu kişi kendi duygu, düşünce ve inançlarını ifade ediyor. Bu kişinin size gönderdiği zehri kabul edip etmemek kişisel algılamayla ilgilidir. Eğer zehri kabul ederseniz, onu size ait kılarsınız. Kişisel algılamak, sizi kara büyücüler için kolay bir av haline getirir. Kara büyücüler sizi küçücük bir fikirle kolaylıkla avlayabilirlerse, sizi istedikleri zehirle besleyebilirler. Siz de söylenenleri kişisel algıladığınız için zehri afiyetle yutarsınız.

Onların sizi besledikleri duygusal çöplük, artık sizin çöplüğünüz haline gelir. Oysa hiçbir şeyi kişisel algılamadığınız sürece cehennemin ortasında bile zehirlere karşı bağışıklığa sahip olursunuz. Bu bağışıklık gücü, size ikinci anlaşmanın armağanıdır.

Kişisel algıladığınızda, söylenenlerden rahatsızlık duyarsınız ve kendi inançlarınızı savunarak tepki gösterirsiniz. Bu tepkiyle çelişkiler ve çatışmalar yaratırsınız. Küçücük şeyleri bile büyütür, pireyi deve yaparsınız. Çünkü haklı çıkmak ihtiyacını duyarsınız. Sizin haklı, başkalarının haksız olmasını istersiniz.

Haklı olmak için, kendi fikirlerinizi onlara dayatmak için büyük çaba gösterirsiniz.

Aynı şekilde, sizin hissettikleriniz ve yaptıklarınız da kendi bireysel rüyanızın, kendi anlaşmalarınızın bir yansımasıdır. Sizin söyledikleriniz, yaptıklarınız ve sizin fikirleriniz sizin anlaşmalarınız doğrultusundadır. Bu fikirlerin benimle bir ilgisi yoktur.

Sizin benimle ilgili düşündüklerinizin, benim için bir önemi yoktur. Sizin düşüncelerinizi ben kişisel algılamam. İnsanlar, bana "Miguel sen iyisin" dediklerinde de kişisel algılamam, "Miguel sen en kötüsün" dediklerinde de kişisel algılamam.

Siz mutluyken bana "Miguel, sen bir meleksin" diyeceğinizi bilirim. Ama bana kızgın olduğunuzda "Oh Miguel, sen şeytanın tekisin! Çok kötüsün. Bu tür şeyleri nasıl söyleyebilirsin?" dersiniz.

Her iki halde de söyledikleriniz beni etkilemez. Çünkü ben ne olduğumu biliyorum. Kabul görmek, onaylanmak gibi bir ihtiyacım yok. Birisinin bana kim ve ne olduğumu söylemesine ihtiyaç duymuyorum.

Hayır, hiçbir şeyi kişisel algılamıyorum. Sizin bakış açınız, sizin dünyanızı yansıtır. Siz kendinizle uğraşırsınız, benimle değil. İnanç sisteminiz doğrultusunda oluşturduğunuz fikirleriniz, daima kendinizle ilgilidir, benimle değil.

Bana "Miguel, söylediklerin beni incitiyor" da diyebilirsiniz. Ama sizi inciten benim söylediklerim değildir. Söylediklerim sizin yaralarınıza dokunduğu için incinirsiniz. Sizi inciten sizsiniz.

Sizi incitmiş olduğumu da kişisel algılamam. Bu size inanmadığım ya da güvenmediğim için değil, sizin dünyayı farklı gözlerle, kendi gözlerinizle gördüğünüzü bildiğim içindir. Filmin tümünü zihninizde yaratan sizsiniz.

Bu filmde yönetmen de, yapımcı da, başrol oyuncusu da sizsiniz. Diğer herkes yardımcı oyuncudur. Bu sizin filminiz.

Filminizi, yaşamla yaptığınız anlaşmalara uygun olarak yaratırsınız. Sizin bakış açınız sizin için kişiseldir. Sizin bakış açınız sizin gerçeğinizdir, başka hiç kimsenin değil. Bu yüzden bana kızdığınızda, kendinizle uğraştığınızı bilirim. Ben size kızmanız için bir mazeret olurum. Kızarsınız çünkü korkuyorsunuz, çünkü korkularınızla uğraşıyorsunuz.

Korkunuz yoksa bana kızmanız da mümkün değildir. Korkunuz yoksa benden nefret etmeniz de mümkün değildir. Korkunuz yoksa kıskanç ya da üzgün olmanız da mümkün değildir.

Korkusuz yaşadığınızda, sevgiyle yaşadığınızda bu tür duygulara yaşamınızda yer yoktur.

Bu tür duyguları hissetmediğinizde, doğal olarak kendinizi iyi hissedersiniz. Siz kendinizi iyi hissettiğinizde etrafınızdaki her şey de iyidir. Etrafınızda her şey iyi olduğunda, bu size mutluluk verir.

Etrafınızdaki her şeyi seversiniz, çünkü kendinizi seviyorsunuz. Çünkü olduğunuz gibi olmaktan hoşnutsunuz. Çünkü kendinizle doyumlusunuz. Çünkü hayatınızdan memnunsunuz. Yarattığınız filmden memnunsunuz. Yaşamla yaptığınız anlaşmalardan memnunsunuz. Huzurlu ve mutlusunuz.

Her şeyin harika, her şeyin güzel olduğu bir boyutta yaşarsınız. Bu boyutta algıladığınız her şeyle, her an sevişirsiniz.

İnsanlar ne yaparsa, ne söylerse, ne düşünürse düşünsün *kişisel algılamayın.* Sizin ne kadar harika biri olduğunuzu söyleseler bile, bunu sizin yüzünüzden söylemiyorlar. Sizin harika olduğunuzu kendinizin bilmesi önemli. Size harika olduğunuzu söyleyen insanlara inanmaya ihtiyacınız yok. *Hiçbir şeyi* kişisel algılamayın. Birisi başınıza silahı dayayıp tetiği çekse bile, yine de kişisel değildir, bu uç boyutta bile.

Kendinizle ilgili düşüncelerin bile gerçek olması gerekmiyor. Bu nedenle kendi zihninizde, kendinizle ilgili düşünceleri de kişisel algılamayın. Zihnin kendisiyle konuşma yeteneği vardır.

Bunun yanı sıra başka boyutlardan gelen bilgileri işitme yeteneği de vardır. Bazen zihninizde bir ses işitirsiniz ve bu sesin nereden geldiğini merak edersiniz. Bu ses başka bir realite boyutundan gelmiş olabilir. Başka boyutlarda da insan zihnine benzeyen canlı varlıklar vardır. Toltekler bu varlıklara *Allies* (Dost) diyor. Avrupa, Afrika ve Hindistan'da bu varlıklara Tanrılar deniliyor.

Zihnimiz, Tanrıların boyutunda da varoluşunu sürdürür. Zihnimiz bu realitede de yaşar ve bu realiteyi algılar.

Zihin uyanık realiteyi gözlerle görür ve algılar. Zihin aynı zamanda gözle görünmeyeni de görür ve algılar. Ama mantık bu ikinci algılamanın pek farkında olmaz.

Zihin çok boyutlu bir yaşam sürer. Bazen zihninizden kaynaklanmayan ama zihninizle algıladığınız fikirlere sahip olabilirsiniz. Bu seslere inanma ya da inanmama seçimi sizindir. Söylenenleri kişisel algılamama seçiminiz de vardır. Nasıl ki toplumsal rüya ile ilgili inançları ve anlaşmaları seçme özgürlüğünüz varsa, kendi zihninizdeki seslere de inanıp inanmama özgürlüğünüz vardır.

Zihin kendisiyle konuşabilir ve kendisini dinleyebilir. Zihnin de bedeniniz gibi bölümleri vardır. Tıpkı bir elinizle diğer elinizi tutup onu hissedebildiğiniz gibi zihin de kendi kendisiyle konuşabilir. Zihnin bir kısmı konuşur, diğer kısmı dinler. Ama zihninizin binlerce parçası aynı anda konuşmaya başladığında büyük problem yaşanır.

Buna *mitote* deniyordu, hatırlayın.

Mitote, aynı anda binlerce kişinin konuştuğu ve alışveriş yaptığı devasa bir markete benzetilebilir. Bu markette insanların her birinin farklı düşünceleri ve duyguları vardır. Her birinin bakış açıları farklıdır.

Zihnin programlanmasında yaptığımız tüm anlaşmalar çoğu kez birbiriyle uyum içinde olmaz. Her anlaşma ayrı bir varlık gibidir. Her birinin kendi kişiliği ve sesi vardır. Birbiriyle çelişen anlaşmalar, diğer anlaşmalarla da çatışıp gittikçe büyüdüğünde zihinde büyük bir savaşa dönüşür. İnsanın ne istediğini, nasıl istediğini ve ne zaman istediğini bilmekte zorlanmasının nedeni *mitote*dir.

Anlaşmalar kendi aralarında anlaşmazlığa düştüğü için karmaşa yaşanır. Zihnin bir bölümü bir şey isterken diğer bölümü tam zıddı olan şeyi ister.

Zihnin bir bölümü bazı düşünce ve davranışlara karşı çıkarken, diğer bölümü de zıt düşünce ve davranışları destekleyebilir.

Tüm bu küçük, minik varlıklar içsel çelişkileri yaratır çünkü her biri canlıdır ve her birinin kendine özgü sesi vardır.

Zihnin çelişkilerinin üstesinden gelmenin tek yolu, tüm anlaşmalarımızın dökümünü yapmaktan geçer. Böylelikle çelişkinin nedenlerinin farkında olabilir ve *mitote* kaosunu düzene sokabiliriz.

Hiçbir şeyi kişisel algılamayın. Çünkü kişisel algıladığınızda hiçbir şey uğruna kendinizi acı çekmeye mahrum edersiniz.

İnsanlar farklı boyutlarda ve farklı açılarda acıların tiryakisi olur. Ve biz bu bağımlılıkları sürdürebilmek için birbirimize destek veririz. İnsanlar birbirlerinin acı çekmelerine destek vermek konusunda anlaşma içinde davranıyor.

Eğer kullanılma, sömürülme veya aşağılanmaya ihtiyaç duyuyorsanız, başkaları sizi kullanarak, sömürerek veya aşağılayarak size ihtiyacınızı karşılamanız için yardım etmekte gönüllü olacaktır. Sizi taciz edecek insanları bulmanız çok kolaydır.

Eğer acı çekmeye ihtiyaç duyan bir insanla birlikteyseniz, içinizdeki bir şey, o kişiye acı verici davranışlarda bulunmanızı sağlayacaktır. Bu insanların sırtlarında adeta şöyle bir not asılıdır: "Lütfen beni tekmele." Bu, insanların istediği acı çekme ihtiyaçlarını karşılayabilmek için, çektikleri acıya haklı gerekçeler bulmaktır. Siz de davranışlarınızla o insanlara gereken haklı nedeni vermiş olursunuz.

Acı çekme bağımlılığı, uygulamalı bir anlaşmadan başka bir şey değildir.

Her yerde size yalan söyleyen insanlarla karşılaşırsınız. Farkındalığınız arttıkça, sizin kendinize de yalan söylediğinizi görmeye başlarsınız. İnsanların size doğruyu söyleyeceklerini beklemeyin çünkü onlar kendilerine de yalan söylüyor.

Siz kendinize güven duymayı öğrendiğinizde başkalarının size söylediği şeylere inanıp inanmamayı seçme özgürlüğünü de kazanırsınız.

İnsanları kişisel algılamadan gerçekte oldukları gibi görebilmeyi başardığımızda, asla onların söylediği ya da yaptığı şeylerden incinmeyiz. Size yalan da söyleseler bundan incinmezsiniz. Çünkü onların korktukları için yalan söylediklerini bilirsiniz.

İnsanlar kendilerinin mükemmel olmadığının sizin tarafınızdan keşfedilmesinden korkuyor. Sosyal maskeden sıyrılmak acı vericidir. Birisinin söylediği ve yaptığı şey arasında fark varsa ve siz davranışa değil, söylenene kulak vermeyi seçerseniz, kendinize yalan söylemiş olursunuz.

Kendinize doğruları söyleyebilmek, sizin boş yere duygusal acı çekmenizi engeller. Kendinize gerçeği itiraf edebilmek size acı verebilir ama bu acıyla özdeşleşmeye ihtiyaç duymazsınız.

Gerçeği kabul etmek iyileşmenin başlangıcıdır ve bir süre içinde her şey daha iyiye doğru düzelecektir.

Birisi size sevgi ve saygıyla davranmıyorsa, o kişinin sizden uzaklaşması sizin için bir armağandır. Eğer sizden uzaklaşmıyorsa onunla birlikte uzun yıllar acı çekmeniz, acıya katlanmanız kaçınılmaz olur. Böyle bir kişi tarafından terk edilmek bile, size bir süre acı verebilir ama bir süre sonra yüreğiniz iyileşecektir.

İşte o zaman gerçekten istediğiniz şeyi seçebilirsiniz. İşte o zaman doğru seçimler yapabilmek için başkalarına değil, kendinize güvenmenin öneminin bilincine varabilirsiniz.

Hiçbir şeyi kişisel algılamamayı bir alışkanlık haline getirdiğinizde yaşamınızda birçok acıdan kaçınmanız da mümkün olur. Kızgınlığınız, kıskançlığınız, fesat duygularınız yok olur. Kişisel algılamadığınızda üzüntüleriniz bile kaybolur.

Bu ikinci anlaşmayı bir alışkanlığa dönüştürebilirseniz hiçbir şeyin sizi cehenneme geri döndürmeyeceğini de görürsünüz. Kişisel algılamadığınızda olağanüstü bir özgürlüğe kavuşursunuz. Kara büyücülere karşı bağışıklık kazanırsınız. Ne kadar güçlü olursa olsun hiçbir büyü üzerinizde etki yapamaz. Tüm dünya hakkınızda dedikodu yapsa bile, kişisel algılamadığınız zaman bundan etkilenmezsiniz. Size gönderilen duygusal zehirleri solumazsınız. Sizin tarafınızdan kabul görmeyen zehir göndericisi üzerinde çok daha büyük etki yaratır.

İlk iki anlaşmayı hayatınızda uyguladığınızda, sizi cehennemde tutsak kılan binlerce küçük anlaşmaların yüzde yetmiş beşini bozmuş olursunuz.

Bu anlaşmayı bir kağıda yazın ve sürekli hatırlamak için buzdolabının kapısına asın: Hiçbir şeyi kişisel algılama!

Kişisel algılamamayı alışkanlık haline getirdiğinizde sorumlu seçimler yapabilmek için sadece kendinize güvenmeyi de öğrenirsiniz. Asla başkalarının davranışlarından sorumlu değilsiniz. Sadece kendi davranışlarınızdan sorumlusunuz.

Bunu gerçekten anladığınızda, başkalarının özensizce ve bilinçsizce söylediği sözler ya da davranışlar sizi incitemez.

Bu anlaşmaya uyduğunuzda yüreğinizi tümüyle açarak dünyayı dolaşsanız bile kimse size zarar veremez. O zaman alay edilme ya da reddedilme korkusu olmadan istediğiniz kişiye "Seni seviyorum" diyebilirsiniz. O zaman ihtiyacınız olan şeyi rahatlıkla isteyebilirsiniz. Suçluluk duygusu ya da öz-yargılama olmaksızın "evet" ya da "hayır" diyebilirsiniz. Daima yüreğinizin götürdüğü yere doğru gitmeyi seçebilirsiniz.

O zaman cehennemin ortasında bile içsel huzur ve mutluluğu hissedebilirsiniz. Böyle bir boyutta cehennem ateşi sizi yakamaz.

Sonsuzluğun ötesi içinizdedir

4

ÜÇÜNCÜ ANLAŞMA

Sonsuzluğun ötesi içinizdedir

Varsayımda Bulunma

Üçüncü anlaşma varsayımda bulunmamaktır. Her şeyle ilgili varsayımlarda bulunma eğilimimiz vardır. Varsayımlarda bulunmanın problemi, varsayımlarımızın gerçek olduğuna *inanmamızdır*. Onların gerçek olduğuna yemin edebiliriz. Başkalarının neyi düşündüğüne ya da yaptığına dair varsayımlarda bulunuruz. Varsayım teorilerimizi kişisel algılarız. Sonra da o kişileri suçlar ve sözlerimizle duygusal zehir saçarak tepki gösteririz.

İşte bu nedenle varsayımda bulunduğumuz her şeyde problemlere de davetiye çıkarırız. Varsayımda bulunuruz, yanlış anlarız, kişisel algılarız ve hiç yoktan koskocaman bir drama yaratırız.

Yaşamınızdaki üzüntülerin ve dramaların kaynağında kişisel algılamak ve varsayımda bulunmak vardır. Bu cümlenin gerçekliğinin üzerinde bir an olsun düşünün.

İnsanlar arasındaki güç ve kontrol mücadelesi varsayımlarla ve kişisel algılamalarla ilgilidir. Cehennem rüyamızın temelinde bu vardır.

Sadece varsayımlarımızla ve kişisel algılamalarımızla çok miktarda duygusal zehir yaratırız, çünkü genellikle varsayımlarımızla ilgili dedikodulara başlarız.

Dedikodunun, cehennem rüyasında insanların iletişim biçimi ve birbirlerine zehir aktarım yolu olduğunu hatırlayın.

Çünkü doğrunun ne olduğunu bilmemekten, karşımızdaki kişiyi açıklığa davet etmemekten korkuyoruz. Gerçeği duymaya cesaret edemediğimizde ya da açıklama istemekten korktuğumuzda varsayımlarda bulunuyoruz. Sonra da varsayımlarımızın doğru olduğuna inanıyoruz. Bu inançlarımızla varsayımlarımızı savunarak, başkalarını yanlış ya da haksız kılmaya çalışıyoruz.

Soru sormak daima varsayımlarda bulunmaktan iyidir. Çünkü varsayımlar yaşamınıza acıları davet eder.

İnsan zihnindeki büyük *mitote* birçok kaos yaratır. Bu kaos her şeyi yanlış yorumlamamıza ve her şeyi yanlış anlamamıza yol açar. Sadece görmek istediğimizi görür, işitmek istediğimizi işitiriz. Olayları oldukları gibi algılayamayız. Realiteye teğet bile geçmeyen rüyalar görme alışkanlığımız var. Hayal gücümüzün ürünü olan rüyalarımızı realite olarak tanımlama alışkanlığımız var.

Çünkü bir şeyi anlamadığımızda, varsayımlarda bulunarak ona anlam vermeye çalışırız. Ama gerçek ortaya çıktığında rüya balonumuz patlar ve gerçeğin hiç de düşündüğümüz gibi olmadığını anlarız.

Örneğin; bir alışveriş merkezinde yürürken, hoşlandığınız bir kişi gözünüze ilişir. Bu kişi size tebessüm eder ve yoluna devam eder. Sadece bu tek deneyimden nice varsayımda bulunabilirsiniz. Bu varsayımlarla kocaman bir fantezi yaratabilirsiniz. Bu fanteziye gerçekten inanmak ve onu gerçekleştirmek istersiniz.

Varsayımlarınız bütün rüyayı şekillendirmeye başlar. "Oh, bu kişi benden hoşlandı" diye düşünmeye ve buna inanmaya başlayabilirsiniz. Zihninizde bu kişiyle ilişkiye girdiğinizi, hatta evlendiğinizi bile hayal edebilirsiniz. Ama bu fantezi sadece *sizin* zihninizde, sizin bireysel rüyanızda yer alır.

İlişkilerinizde varsayımda bulunmak problemlere davetiye çıkarmak demektir. Genellikle partnerimizin bizim ne düşündüğümüzü bildiğini varsayar ve ne istediğimizi söylemenin gerekli olmadığını düşünürüz. Partnerimizin bizim istediğimiz şeyi yapacağını, çünkü onun bizi çok iyi tanıdığını varsayarız. Eğer bizim beklediğimiz gibi davranmazsa buna çok alınır ve inciniriz. "Ne istediğimi bilmeliydin" diye de şikayet ederiz.

Bir başka örnek: Evlenmeye karar veriyorsunuz ve partnerinizin evliliğe tıpkı sizin gibi baktığını varsayıyorsunuz. Evlenip birlikte yaşamaya başladığınızda bu varsayımınızın hiç de doğru olmadığını anlıyorsunuz. Bu durum aranızda birçok çelişki ve zıtlaşma yaratıyor ama yine de evlilikle ilgili duygularınızı netleştirmek için bir çaba göstermeye yanaşmıyorsunuz.

Koca eve geldiğinde karısının kızgın olduğunu görüyor ama neden kızdığını bilmiyor belki kadının kızgınlığı bir varsayımdan kaynaklanıyor. Kocasına ne istediğini söylemek yerine, onun kendisini çok iyi tanıdığını varsayıyor ve zihnini okumasını bekliyor. Bu beklentisi gerçekleşmediği için de kocasına büyük öfke duyuyor.

İlişkide varsayımlar kavgalarımızın, zorluklarımızın, sevdiğimizi iddia ettiğimiz kişileri yanlış anlamamızın nedenidir.

Her türlü ilişkide başkalarının bizim nasıl düşündüğümüzü bilmeleri gerektiğini, bu yüzden bizim istediğimiz şeyleri tahmin edebileceklerini varsayarız. Ama isteklerimiz otomatikman yapılmadığında, beklentilerimiz gerçekleşmediğinde kırılır, incinir, üzülür "Bunu bana nasıl yapabildin? Bilmeliydin" diye düşünürüz.

Varsayımda bulunduğumuz yetmiyormuş gibi partnerimizin istediğimiz şeyi bildiği halde yapmadığını da varsayarız ve üst üste binen varsayımlarla kocaman bir drama yaratırız.

İnsan zihninin çalışması ilginçtir. Kendimizi güvende hissedebilmek için her şeye bir anlam vermeye, açıklamaya, her şeyi anlamaya çalışmaya ve anladığımızın doğru olduğu konusunda haklı çıkmaya ihtiyaç duyarız.

Zihnimizde yanıt bekleyen milyonlarca soru vardır. Çünkü birçok şeyi mantıklı zihin açıklayamaz. Yanıtın doğru olması önemli değildir; yanıtın kendisi kendimizi güvende hissedebilmek için yeterlidir. İşte bu yüzden varsayımlarda bulunuruz.

Birileri bize bir şey söylediğinde varsayımda bulunuruz, bir şey söylemediğinde de varsayımda bulunuruz. Çünkü bilme ihtiyacımızı ancak böyle doyuma ulaştırırız. Çünkü bu yolla iletişim kurmakla gelebilecek risklerden sakınırız.

İşittiğimiz bir şeyi anlamadığımızda bile, anladığımıza dair varsayımda bulunuruz. Ve varsayımlarla verdiğimiz anlama inanırız.

Anlamadığımız bir konuda her türlü varsayımda bulunuruz. Çünkü soru sorma cesaretine sahip değiliz.

Bu varsayımlar çoğu kez çok hızlı ve bilinçsizce yapılır. Çünkü bu yolla iletişim kurma anlaşmamız vardır. Çocuklukta yaptığımız anlaşmalardan bazıları şöyle der: "Soru sormak güvenli değildir." "Eğer birisi beni seviyorsa, ne istediğimi, neler düşündüğümü ve hissettiğimi bilmelidir."

Bu anlaşmaları kabul etmiş ve doğruluklarına inanmışızdır. Bir şeye inandığımızda o konuda haklı olduğumuzu varsayarız. Haklılığımızı kanıtlamak, inanç pozisyonumuzu savunmak uğruna ilişkilerimizi bozmayı, yok etmeyi bile göze alırız.

Herkesin, hayatı bizim gibi algılaması gerektiğini ya da algıladığını varsayarız. Başkalarının bizim gibi düşündüğünü, hissettiğini, yargıladığını ve sömürdüğünü varsayarız. İnsanların en büyük varsayımı budur. İşte bu yüzden başkalarının yanında kendimiz olmaktan korkarız. Çünkü herkesin bizi yargılayacağını, suçlayacağını, kullanacağını ve sömüreceğini varsayarız. Tıpkı kendimizin yaptığı gibi.

Bu yüzden başkalarına bizi reddetme şansını vermeden, biz kendimizi reddederiz. Başkalarının bize yapacağı şeyi, bizim kendimize yapmamız daha güvenlidir.

İşte insan zihni böyle çalışır.

Biz, kendimizle ilgili varsayımlarda da bulunuruz. Bu, içimizde muazzam bir çelişki yaratır. "Bunu yapabileceğimi zannediyorum." Bu varsayımı yaptığınızı düşünelim ve sonra da bunu yapamadığınızda kendinize öfke duyarsınız.

Yapabileceğiniz şeyleri abartmanız (yüksek tahminde bulunmanız) ya da yapabileceğinizden çok daha düşük bir amaç edinmeniz, kendinize doğru soruları sormak ve yanıtını almak için zaman ayırmamanızdan kaynaklanır.

Belki, bir durum için daha çok veri toplamanız gerekebilir. Belki, gerçekten istediğiniz şeyi bilmek için kendinize yalan söylemekten vazgeçmeniz gerekebilir.

Hoşlandığınız bir kişiyle bir ilişkiye girdiğinizde genellikle bu kişiden neden hoşlandığınız konusunda gerekçeler bulmaya çalışırsınız. Sadece görmek istediğinizi görür ve o kişiyle ilgili hoşlanmadığınız şeyleri yadsırsınız. Haklı olmak için kendinize yalan söylersiniz. Sonra da varsayımlarda bulunursunuz. Bu varsayımlardan biri şudur: "Sevgimle bu kişiyi değiştirebilirim." Ama bu doğru değildir. Sevginiz hiç kimseyi değiştiremez. Eğer birisi değişiyorsa değişmeyi seçtiği içindir, sizin onu değiştirebilme gücünüzden değil.

Bir süre sonra ikinizin arasında bir şey olur ve incinirsiniz. Birdenbire daha önce görmek istemediğiniz şeyleri görmeye başlarsınız. Üstelik şimdi duygusal zehriniz gördüğünüz şeyi devasa boyutlara getirmiştir. Şimdi de duygusal acınızın nedeni olarak o kişiyi suçlarsınız.

Sevginin mazur gösterilmeye ihtiyacı yoktur. Sevgi ya vardır ya yoktur. Gerçek sevgi, diğer insanları değiştirmeye çalışmadan oldukları gibi kabul edebilmektir. Eğer onları değiştirmeye çalışıyorsak, bu, onlardan gerçekten hoşlanmadığımız anlamına gelir.

Şüphesiz eğer birisiyle birlikte yaşamaya karar verecekseniz, bu anlaşmayı sizin tam olmasını istediğiniz gibi biriyle yapmanız daha iyidir.

Hiç değiştirmek istemediğiniz birini bulun zaten istediğiniz gibi olan biriyle olmak, değiştirmeye çalışacağınız biriyle olmaktan daha kolaydır.

Aynı zamanda bu kişi sizi de olduğunuz gibi sevmelidir, sizi değiştirmeye çalışmamalıdır. Eğer biri sizi değiştirmeye çalışıyorsa bu, sizi olduğunuz gibi sevmediği anlamına gelir.

Öyleyse neden sizi olduğunuz gibi sevmeyen biriyle birlikte olmak isteyesiniz ki?

Neysek o olduğumuzda, sahte bir kişilik, bir imaj sunmak zorunda kalmayız.

Beni olduğum gibi seversen "Peki, gel."

Beni olduğum gibi sevmezsen "Peki, güle güle. Başka birisini bul."

Bu çok katı bir yaklaşım gibi gelebilir ama bu tür net, açık ve dolaysız bir iletişim kurduğumuzda başkalarıyla yaptığımız bireysel anlaşmalar da net, açık ve özenli olur.

Önce partnerinizle, sonra hayatınızdaki herkesle varsayımlara dayanmayan bir ilişki kurduğunuzu düşünün. Kurduğunuz iletişim tümüyle değişecektir ve ilişkileriniz, yanlış varsayımların yarattığı çelişkilerden dolayı yıpranmayacaktır.

Kendinizi varsayımlardan kurtarmanın yolu soru sormaktan geçiyor. İletişimin açık olmasına özen gösterin. Anlamadığınız bir şeyi sorun. Konu zihninizde netleşene kadar soru sorma cesaretini gösterin. O zaman bile bir durumla ilgili her şeyi bildiğinizi varsaymayın. Yanıtları aldığınızda gerçeği bildiğinizi varsaymayın.

Aynı zamanda siz de ne istediğinizi söylemekten çekinmeyin. Herkesin size evet ya da hayır demeye hakkı olduğu gibi sizin de sormaya hakkınız vardır. Tıpkı sizin, bir soru ya da talebe evet ya da hayır deme hakkınız olduğu gibi.

Varsayımsız bir iletişim açık ve nettir, duygusal zehirden arınmıştır. Varsayımsız bir iletişim özenli bir iletişimdir.

Açık bir iletişimle tüm ilişkileriniz değişecektir. Bu durumda her şey açık ve net olduğu için varsayımda bulunma ihtiyacını da duymayacaksınız.

Eğer tüm insanlar bu şekilde iletişim kurabilselerdi yanlış anlaşılma, savaş ve şiddet de ortadan kalkardı. Sadece açık ve net bir iletişimle tüm insani sorunlar çözüme ulaşırdı.

Üçüncü anlaşmayı uygulayın, "Varsayımda Bulunmayın" demek kolaydır. Ama bunun zor olduğunu da biliyorum. Zordur, çünkü genellikle tam zıddı şekilde davranırız. Alışkanlıklarımız ve rutin davranışlarımız içinde varsayımlarda bulunduğumuzu fark etmeyiz bile. Bu alışkanlıklarımızın farkında olmak ve bu anlaşmanın önemini kavramak ilk adımdır.

Ama bu anlaşmanın önemini anlamak da yeterli değildir. Bilgi ya da fikir zihninizde sadece bir tohumdur. Fark yaratacak olan şey aksiyondur, bilgiyi hayata geçirmektir.

Pratik yapmak, bir şeyi tekrar tekrar uygulamak iradenizi güçlendirir, tohumu besler ve yeni alışkanlığın yerleşmesi için sağlam bir temel oluşturur. Birçok tekrardan sonra, bu yeni anlaşmalar sizin ikinci doğanız haline gelir. O zaman, sözünüzün büyüsünün sizi kara büyücüden beyaz büyücüye nasıl dönüştürdüğüne tanık olursunuz.

Beyaz büyücü sözü, yaratmak, vermek, paylaşmak ve sevmek için kullanır.

Bu anlaşmayı alışkanlığa dönüştürdüğünüzde tüm yaşamınız da dönüşecektir.

Tüm rüyanızı dönüştürdüğünüzde, yaşamınızda sihir kendiliğinden oluşur. Böylesi bir sihirli yaşamda istediğiniz her şey size kolaylıkla gelir. Çünkü ruh içinizde özgürce dolaşır. Bu, niyetin ustalığı, ruhun ustalığı, sevginin ustalığı, değer bilmenin ustalığı, yaşamın ustalığıdır. Bu ustalık, Toltek'in amacıdır.

Bu yol, bireysel özgürlüğün yoludur.

Sonsuzluğun ötesi içinizdedir

5

DÖRDÜNCÜ ANLAŞMA

Sonsuzluğun ötesi içinizdedir

Daima Yapabildiğinin En İyisini Yap

Bu anlaşma, diğer üç anlaşmanın kalıcı alışkanlığa dönüşmesini sağlayan anlaşmadır. Dördüncü anlaşma ilk üçün aksiyonudur:

Daima yapabildiğinin en iyisini yap.

Her koşul altında, daima en iyisini yapın, ne daha fazla ne daha az. Ama şunu daima hatırlamanızda yarar var: An, her an değiştiği için asla "en iyiniz" olmayacaktır.

Her şey canlıdır ve her an değişim halindedir. Bu nedenle "en iyiniz" bazen yüksek kaliteli olacaktır, bazen o kadar iyi olmayacaktır.

Sabah taze ve enerjik olarak yaptığınız "en iyi", akşamın yorgunluğunda yaptığınız "en iyi"den daha iyi olacaktır. "En iyiniz" sağlıklı ya da hasta olmanıza göre değişecektir. Ayık ya da sarhoş olmanıza göre değişecektir. Harika ve mutlu ya da üzgün, kızgın ya da kıskanç olmanıza göre "en iyiniz" değişecektir.

Günlük yaşamınızda duygularınızın andan ana, saatten saate, günden güne değişiklik göstermesi gibi, "en iyiniz" de zaman içinde değişime uğrayacaktır.

Dört yeni anlaşmanızı yaşamınızda uyguladıkça "en iyiniz" de gittikçe "en iyi" hale gelecektir.

Kalitesi nasıl olursa olsun, "en iyiniz"i yapmaya özen gösterin. Ne daha fazla ne daha az. "En iyiniz"den daha fazla yapmak için kendinizi zorladığınızda, gerekenden daha fazla enerji sarf etmiş olacağınız için "en iyiniz" de yeterli olamayacaktır. Çok fazla kendinizi zorladığınızda bedeniniz yorgun düştüğü için kendinize iyilik yapmış olmazsınız. Çünkü bu, amacınızı gerçekleştirmenizi geciktirir.

"En iyiniz"den daha az yaptığınızda ise kendinizi yargılarsınız, suçluluk ve pişmanlık duyarsınız. Kendinize saygı duymakta zorlanırsınız.

Sadece yapabildiğinizin en iyisini yapın; yaşamınızda, her koşulda ve her anda.

Yorgun ve hasta olmanız önemli değildir. Eğer yapabildiğinizin en iyisini yaparsanız kendinizi yargılamanız için mazeret bulamazsınız. Kendinizi yargılamadığınızda suçluluk duygusu, suçlama ya da kendinizi cezalandırma ihtiyacını da duymazsınız.

Daima yapabildiğinizin en iyisini yaptığınızda, üzerinizdeki büyük büyüyü de etkisiz hale getirirsiniz.

Acısını aşmak isteyen bir adam, kendisine yardım etmesi için Budist tapınağındaki bir Ustaya gider. Adam, Ustaya sorar: "Usta, eğer günde dört saat meditasyon yaparsam, yüksek bilince ulaşmam ne kadar sürer?" Usta adama bakar ve yanıt verir: "Eğer günde dört saat meditasyon yaparsan, belki on yılda yüksek bilince ulaşabilirsin."

Bundan daha iyi yapabileceğini düşünen adam yine sorar: "Oh, usta peki günde sekiz saat meditasyon yaparsam yüksek bilince ulaşmam ne kadar zaman alır?"

Usta adama bakar ve yanıt verir: "Eğer günde sekiz saat meditasyon yaparsan, belki yirmi yılda yüksek bilince ulaşabilirsin."

Adam şaşırır ve sorar: "Ama daha çok meditasyon yaptığımda, neden daha uzun zaman alır?"

Usta tebessüm eder: "Sen bu dünyaya hazzı ve yaşamı feda etmek için gelmedin. Yaşamak, mutlu olmak ve sevmek için buradasın. Eğer iki saatlik bir meditasyonda yapabileceğinin en iyisini yapabildiğin halde, sekiz saat meditasyon yapmaya kalkarsan yorgun düşersin, amacından saparsın ve yaşamdan haz alamazsın. Yapabildiğinin en iyisini yap. O zaman meditasyonun süresinin değil, yaşamanın, sevmenin ve mutlu olmanın önemli olduğunu anlarsın."

Yapabildiğinizin en iyisini yapmakla, yaşamı dolu dolu ve yoğun yaşarsınız. Üretken ve kendinize karşı iyi olursunuz. Çünkü kendinizi, ailenize, topluma, her şeye en iyi şekilde verirsiniz. Aksiyonun kendisi size yoğun mutlu duygular yaşatacaktır.

Yapabildiğinizin daima en iyisini yaptığınızda harekete geçersiniz. Her eylemi, her hareketi, her çabayı zevk aldığınız için yaparsınız, bir ödül beklediğiniz için değil.

Oysa çoğu insan bunun zıddını yapar. Çoğu insan, sadece bir ödül beklentisi olduğunda harekete geçer ama aksiyondan zevk almaz. İşte bu yüzden yapabileceğinin en iyisini yapmaz.

Örneğin, çoğu insan, her gün, sadece maaş alacağı günün uğruna işe gider. Yaptığı işten alacağı para onun için önemlidir. Bu insanlar cumartesi ve pazarı iple çeker. Bir ödül için çalışırlar ve bunun sonucunda işlerinden zevk almazlar. Mümkün olduğunca az şey yaparak ödülü almak isterler. Bu da işlerini iyice zorlaştırır ve yapabileceklerinin en iyisini yapmanın hazzını asla yaşayamazlar.

Bu insanlar hafta boyunca çok çalışır ve yaptıkları işi sevmeden yaparlar. Harekete geçmek zorunda kaldıklarında kımıldar, bundan bir zevk almaz, ama yapmak zorunda olduklarını hissederler.

Çalışmak zorundadırlar, çünkü kirayı ödemek ve ailelerini geçindirmek zorundadırlar. Böylesine bir doyumsuzluk içinde maaşlarını aldıklarında da mutlu olamazlar.

İki günlük dinlenme zamanları vardır. Bu iki günde istediklerini yapabilirler; ama ne yaparlar dersiniz? Kaçmaya çalışırlar. İçki içip kendilerini uyuştururlar, çünkü kendilerini sevmezler. Hayatlarını sevmezler.

Kendimizi sevmediğimizde kendimizi cezalandırmanın, duygularımızı uyuşturmanın değişik yolları vardır.

Öte yandan, bir ödül beklentisi olmaksızın, yaptığımız her şeyin hakkını verirsek, her aksiyondan haz aldığımızı da fark ederiz. Ödül yine gelir ama siz ödüle bağımlı olmazsınız. Hatta bir beklentiniz olmadığında ödül fazlasıyla gelir.

Yaptığımız işten zevk aldığımızda, daima yapabileceğimizin en iyisini yaptığımızda hayattan gerçekten zevk alırız. Eğleniriz, can sıkıntısı ve çaresizlik hissetmeyiz.

Yapabildiğinizin en iyisini yaptığınızda, Yargıca sizi suçlu bulması için bir imkan da tanımazsınız. Yapabildiğinizin en iyisini yaptığınızda ve Yargıç sizi Yasa Kitabına göre yargılamaya kalktığında savunmanız hazırdır: "Yapabildiğimin en iyisini yaptım."

Bunu rahatça söyleyebilirsiniz. Çünkü içinizde hiçbir keşke, hiçbir pişmanlık yoktur. Bu yüzden daima "en iyimizi" yapmak önemlidir. Bu kolay bir anlaşma değildir, ama sizi gerçekten özgür kılacak olan bir anlaşmadır.

"En iyisini" yaptığınızda, kendinizi kabul etmeyi de öğrenirsiniz. Bunun için farkındalıkla hatalarınızdan ders almayı öğrenmeniz de gerekir.

Hatalarınızdan ders almayı öğrenmek, pratik yapmak, sonuçlara dürüstçe bakabilmek ve yolunuza yine devam etmek anlamına gelir. Bu, sizin farkındalığınızı geliştirir.

Yapabildiğinizin en iyisini yapmak, size iş gibi de gelmez. Çünkü yaptığınız şey ne olursa olsun zevk alırsınız. Çünkü yapabildiğinizin en iyisini yaptığınızı bildiğinizde sonuçlar beklediğiniz gibi olmasa bile, bu sizde negatif duygular uyandırmaz. Hatalarınızdan ders alır ve yeni bir yol denersiniz.

Yapabildiğinizin en iyisini yaparsınız, çünkü bunu yapmak zorunda olduğunuzu hissetmeden, içinizdeki Yargıcı memnun etmeye çalışmadan, başka insanları memnun etmeye çalışmadan, kendiniz zevk aldığınız için yaparsınız.

Yapmak zorunda kaldığınız için yaptığınız bir şeyde en iyisini yapmanız mümkün değildir. O zaman yapmamak daha iyidir. Ama her an yapabildiğinizin en iyisini yapmak *sizi* mutlu kılar.

Aksiyon, hareketlilik, dolu dolu yaşamaktır. Aksiyonsuzluk, yaşamı yadsımanın bir yoludur. Hareketsizlik, yıllar boyu her gün televizyonun karşısında oturmaktır. Çünkü canlı olmaktan ve -kim olduğunuzu ifade etmek için- risk almaktan korkarsınız.

Kim olduğunuzu ifade etmek aksiyona geçmektir. Kafanızda birçok harika fikir olabilir, ama fikirleri hayata geçiren şey aksiyondur. Bir fikir aksiyona geçmediğinde ifade yoktur, sonuç yoktur, ödül yoktur.

Bunun iyi bir örneği Forrest Gump hikayesinde vardır. Forrest Gump'ın büyük düşünceleri yoktu ama o adım attı. Gump mutlu bir insandı çünkü daima yapabildiğinin en iyisini yapıyordu. O, bolca ödüllendirildi ama hiçbir ödül beklentisi yoktu. Aksiyon, adım atmak, harekete geçmek, canlı olmaktır. Canlı olmak, risk almak ve rüyanızı ifade etmektir.

Bu, kendi rüyanızı başkalarına empoze etmekten farklıdır. Çünkü herkesin kendi rüyasını ifade etmeye hakkı vardır.

Yapabildiğinizin en iyisini yapmak, sahip olacağınız en iyi alışkanlıktır. Ben, yaptığım her şeyde yapabildiğimin en iyisini yaparım ve hissederim. En iyisini yapabilmek yaşamımda bir ritüele dönüşmüştür. Çünkü her şeyi bir ritüele dönüştürmeyi seçtim.

Bu, seçtiğim herhangi bir inanç gibidir. Her şeyi bir ritüele dönüştürür ve daima en iyisini yapmaya özen gösteririm.

Bir duş almak benim için ritüeldir. Bu ritüelde bedenime onu ne kadar sevdiğimi söylerim. Bedenimde dolaşan suyu hisseder ve zevk alırım. Bedenimin ihtiyaçlarını gidermek için elimden gelenin en iyisini yaparım. Bedenime verebileceğimin en iyisini veririm, bedenim de bana verebileceğinin en iyisini verir.

Hindistan'da *puja* denilen bir ritüel vardır. Bu ritüelde, Tanrıyı temsil eden idol formlarını yıkar, besler ve sevgilerini ona verirler. Bu idol sembollerine mantralarını tekrar ederler. İdolün kendisi önemli değildir. Önemli olan ritüeli gerçekleştirirken "Seni seviyorum Tanrım" duygusunu hissedebilmektir.

Tanrı hayattır. Tanrı yaşamın kendisinin ifadesidir. "Seni seviyorum Tanrım" demenin en iyi yolu, yaşamınızı en iyisini yaparak yaşamanızdır. "Teşekkür ederim Tanrım" demenin en iyi yolu, geçmişi özgür bırakarak, anda yaşayabilmek, şimdi ve burada olabilmektir.

Yaşam sizden neyi alıyorsa, bırakın gitsin. Aktif bir teslimiyet duygusu içinde geçmişi bıraktığınızda, anda dolu dolu, canlı olmanıza izin verirsiniz. Geçmişi bırakmak demek, şu andaki rüyanızdan haz alabilmeniz demektir.

Eğer geçmişteki bir rüyada yaşarsanız, şu anda olandan haz alamazsınız. Çünkü daima olduğundan daha farklı olmasını arzu edersiniz. Hiçbir şeyi ve hiçbir kimseyi kaçırmaya zamanınız yok. Şu anda olandan zevk almamak geçmişte yaşamaktır. Bu, yarı canlılık anlamına gelir. Bu, kendinize acımayı, acı çekmeyi ve gözyaşlarını getirir.

Siz bu dünyaya mutlu olmak için geldiniz. Sevmek için, haz almak için, sevginizi paylaşmak için geldiniz. Bunlar sizin yaşam hakkınız. Şu anda yaşıyorsunuz. Bu haklarınızı kullanın ve yaşamdan zevk alın. İçinizden akıp geçen yaşama tepki duymayın. Çünkü içinizden akıp geçen yaşam Tanrıdır. Sizin varlığınız Tanrının varlığının kanıtıdır. Sizin varlığınız yaşamın ve enerjinin kanıtıdır.

Tanrı için kanıt aramayın. Sadece olun, risk alın ve yaşamınızdan haz alın. Önemli olan budur. Hayır demek istediğinizde hayır deyin. Evet demek istediğinizde evet deyin. Sizin kendiniz olmaya hakkınız var. Ancak yapabileceğinizin en iyisini yaptığınızda kendiniz olursunuz. En iyisini yapmadığınızda, kendiniz olma hakkını elinizden alıyorsunuz.

Bu, zihninizde besleyip büyütmeniz gereken bir tohumdur. Bunun için büyük bilgilere ya da büyük felsefi kavramlara ihtiyacınız yok. Başkalarının sizi onaylamasına ihtiyacınız yok. Kendi yüceliğinizi, canlı olarak, kendinizi ve başkalarını severek ifade ediyorsunuz.

Yaşamınızdaki canlılık, üretkenlik, sevecenlik Tanrının size "Hey, seni seviyorum" demesidir.

İlk üç anlaşma, ancak yapabildiğinizin en iyisini yapabildiğinizde işlevsel hale gelir. Daima sözünüzü özenle kullanabileceğinizi beklemeyin. Rutin alışkanlıklarınız çok güçlüdür ve zihninize kazılmış olabilir. Ama yine de yapabileceğinizin en iyisini yapabilirsiniz.

Hiçbir şeyi asla kişisel algılamayacağınızı beklemeyin. Sadece en iyisini yapın.

Asla bir daha varsayımda bulunmayacağınız anı beklemeyin. Ama yine de en iyisini yapabilirsiniz.

Yapabildiğinizin en iyisini yaptığınızda sözlerinizi özensiz kullanma, kişisel algılama ve varsayımlarda bulunma alışkanlıklarınız gittikçe zayıflayacak ve seyrekleşecektir.

Kendinizi yargılamaya, suçluluk duymaya ya da cezalandırmaya ihtiyaç duymayacaksınız -bu anlaşmalara pek uymasanız bile.

Yapabildiğinizin en iyisini yaptığınızda, varsayımlarda da bulunsanız yine de kendinizi iyi hissedeceksiniz. Kişisel algılasanız da, sözlerinizde özenli olmasanız da yine de kendinizi iyi hissedeceksiniz.

Daima en iyisini yaptığınızda, dönüşümün ustası olacaksınız. Uygulama, kişiyi ustalaştırır. En iyisini yaparak *usta* olursunuz. Öğrendiğiniz her şeyi tekrar ederek öğrendiniz. Yazmayı, araba kullanmayı hatta yürümeyi tekrarlayarak öğrendiniz. Konuştuğunuz dili tekrar ederek öğrendiniz. Aksiyon ve tekrar farkı yaratır.

Bireysel özgürlük arayışında, kendinizi sevme arayışında yapabildiğinizin en iyisini yaptığınızda aradığınız şeyi bulmak bir an meselesidir. Bu arayış, hayal kurmakla ya da saatlerce meditasyon yaparak rüya görmekle olmaz.

Ayağa kalkın ve insan olun. Kadın ya da erkek olmanın onurunu hissedin ve cinsiyetinize saygı duyun. Bedeninize saygı duyun, bedeninizden haz alın, bedeninizi sevin, besleyin, temizleyin ve iyileştirin. Egzersiz yapın ve bedeninizin kendisini iyi hissetmesini sağlayın. Bu, bedeniniz için bir *puja*dır. Bu, siz ve Tanrı arasında bir iletişimdir.

Meryem'e, İsa'ya, Buda'ya tapınmanıza ihtiyacınız yok. Eğer bu idollere tapınmak size kendinizi iyi hissettiriyorsa yapın, ama içinizden gelmiyorsa suçluluk duymayın. Kendi bedeniniz Tanrının bir ifadesidir. Bedeninize saygı gösterdiğinizde her şeyin değiştiğini de göreceksiniz.

Bedeninizin her parçasına sevgi gösterdiğinizde, zihninize sevgi tohumları ektiğinizde, bu tohumlar büyüdüğünde tüm varlığınıza sevgi ve saygı duyacak, yoğun bir onurluluk duygusunu ruhunuz, bedeniniz ve zihninizle hissedeceksiniz.

O zaman her aksiyonunuzda Tanrıyı onurlandıracaksınız. Her düşüncenizde, her duygunuzda, her inancınızda, hatta "doğru" ve "yanlış" anlayışınızda bile Tanrıyı onurlandıracaksınız. Her düşünceniz, Tanrıyla bütünleşmenin bir ifadesi olacaktır. Yaşadığınız rüya, yargılardan, kurban olmaktan, dedikodu ve sömürüden özgür bir rüya olacaktır.

Bu dört anlaşmayı yaşama geçirdiğinizde cehennemde yaşamanız olanaksızdır. OLANAKSIZ.

Sözlerinizde özenli olduğunuzda, hiçbir şeyi kişisel algılamadığınızda, varsayımlarda bulunmadığınızda, daima yapabildiğinizin en iyisini yaptığınızda harika bir yaşamınız olacaktır. Yaşamınızın kontrolü yüzde yüz sizin elinizde, sizin yönetiminizde olacaktır.

Dört anlaşma dönüşüm ustalığının özetidir. Tolteklerin ustalıklarından biridir. Bu, cehennemi cennete dönüştürme ustalığıdır. Toplumsal rüyayı, bireysel cennet rüyasına çevirme ustalığıdır.

Bilgi hazırdır. Sadece sizin tarafınızdan kullanılmayı bekliyor. Dört anlaşmayı öğrendiniz. Belki bilgisine sahiptiniz. Bu anlaşmaları yaşamınıza katmaya ihtiyacınız var. Bu anlaşmaların anlamına ve gücüne saygı duymanızın zamanı geldi.

Bu anlaşmaları yaşamınıza geçirmek için yapabildiğinizin en iyisini yapın.

Bu anlaşmaları bugün yapabilirsiniz: Dört Anlaşmayı uygulamayı seçiyorum. Bu anlaşmalar öylesine basit ve mantıklı ki, bir çocuk bile bunları anlayabilir.

Ama siz güçlü bir iradeye sahip olmalısınız. Bu anlaşmalara uymak için tüm gücünüzü kullanmalısınız. Neden? Çünkü nereye gidersek gidelim, yolumuz engellerle dolu olacaktır. Herkes bu yeni anlaşmalara kendimizi adamamızı sabote etmeye çalışacaktır. Etrafımızdaki her şey bu anlaşmaları bozmaya elverişli bir ortam oluşturacaktır.

Sorun şudur: Tüm diğer anlaşmalar toplumsal rüyanın anlaşmalarıdır. Bu anlaşmalar canlıdır ve güçlüdür.

Bu nedenle yaşamınızdaki dört anlaşmayı koruyabilmek için büyük bir savaşçı olmak zorundasınız. Mutluluğunuz, özgürlüğünüz, tüm yaşam biçiminiz buna bağlıdır. Savaşçının amacı bu dünya cehennemini aşabilmek, asla cehenneme geri dönmemektir.

Tolteklerin bize öğrettiği gibi ödülümüz, acı çekilen insanlık deneyimini aşmak, Tanrının insan bedenindeki ifadesi olabilmektir.

Ödülümüz budur.

Bu anlaşmalara sadık kalabilmek için tüm gücümüzü kullanmalıyız. Başlangıçta ben de bunu başarabileceğimi düşünmemiştim. Birçok kez tökezledim ama ayağa kalkıp yürümeye devam ettim. Yine düştüm, yine yoluma devam ettim. Kendime acımakla zaman kaybetmedim. "Düşebilirim ama güçlü ve zekiysem yine ayağa kalkabilirim."

Her düşüşten sonra ayağa kalkışım gittikçe daha kolay hale geldi. Oysa başlangıçta ne kadar zordu.

Siz de düştüğünüzde kendinizi yargılamayın. Yargıcınıza sizi Kurbana dönüştürebilme tatmini duymasına izin vermeyin.

Kendinize karşı dirençli olun. Her düşüşünüzde ayağa kalkın ve anlaşmanızı yeniden yapın.

"Peki, sözlerimde özenli olma anlaşmamı bozdum. Yeniden başlayacağım. Dört anlaşmaya yalnızca *bugün* uymaya özen göstereceğim" deyin.

Bugün anlaşmanızı bozarsanız yarın yeniden başlayın. Gittikçe anlaşmalara çok daha kolaylıkla uyduğunuzu göreceksiniz. Bir gün hayatınızı dört anlaşma doğrultusunda yaşadığınızı fark ettiğinizde, yaşamınızdaki büyük dönüşümlerin hazzını da yaşıyor olacaksınız.

Sevginizin ve özsaygınızın artması için dindar olmaya gerek yoktur. Bunu kendiniz başarabilirsiniz. Ben yapabildiysem siz de yapabilirsiniz. Dikkatinizi geleceğe değil, bugüne yöneltin. Anda yaşayın. Her günün hakkını vererek yaşayın. Bu anlaşmalara uymak için yapabileceğinizin en iyisini yapın.

Her şeyin gittikçe kolaylaştığını deneyimleyeceksiniz.

Bugün yeni bir rüyanın başlangıcı olsun.

Sonsuzluğun ötesi içinizdedir

6

ÖZGÜRLÜĞÜN TOLTEK YOLU

Sonsuzluğun ötesi içinizdedir

Eski Anlaşmaları Bozmak

Herkes özgürlük diyor. Dünyanın dört bir yanında farklı ırk, dil, din ve ülkeden insan özgürlük için savaşıyor.

Ama özgürlük nedir? Amerika'da özgür bir ülkede yaşadığımızı söylüyoruz. Peki, gerçekten özgür müyüz? Gerçekten kim olduğumuzu olmakta özgür müyüz? Hayır, özgür değiliz. Gerçek özgürlük insan ruhuyla ilgilidir. Bu, gerçekten kim olduğumuzu ifade edebilme özgürlüğüdür.

Bizi özgür olmaktan kim alıkoyuyor? Devleti suçluyoruz, havayı suçluyoruz, ebeveynlerimizi suçluyoruz, dini suçluyoruz, Tanrıyı suçluyoruz... Bizim özgür olmamızı gerçekten engelleyen kim? Biziz.

Özgürlüğün gerçek anlamı nedir? Bazen evlendiğimizde özgürlüğümüzü yitirdiğimizi söyleriz. Boşanırız, yine özgür olamayız. Bizi durduran ne? Neden kendimiz olamıyoruz?

Bir zamanlar özgürdük ve özgür olmayı seviyorduk, ama daha sonra özgürlüğün ne olduğunu unuttuk.

İki üç yaşlarında bir çocuğa baktığımızda özgür bir insan görürüz. Bu insan neden özgürdür? Çünkü o istediğini yapıyor. Tıpkı bir çiçek, bir ağaç, bir hayvan gibi özgür. Çünkü henüz ehlileştirilmemiştir. İki yaşındaki bir insanın yüzünde çoğu zaman kocaman bir tebessüm vardır. Bu insan dünyayı keşfediyor ve eğleniyor. Oyun oynamaktan korkmuyor. Canı acıyınca, acıkınca, ihtiyaçları karşılanmadığında korku duyuyor ama bu insan geçmiş ve gelecekle ilgilenmiyor. Sadece anda yaşıyor.

Çok küçük bir çocuk duygularını ifade etmekten çekinmez. Sevgiyi hissettiğinde sevginin içinde erir ve sevmekten korkmaz. Bu tanım sağlıklı bir insanın tanımıdır.

Bir çocuk olarak gelecekten korkmayız ve geçmişten utanmayız. Doğal insani eğilimlerimiz, hayattan zevk almak, oynamak, keşfetmek, mutlu olmak ve sevmektir.

Peki, yetişkin insana ne oldu da bu hale geldi?

Neden böylesine farklılaşıyoruz?

Neden doğal ve özgür olamıyoruz?

Kurbanın bakış açısından, bizimle ilgili üzücü şeyler olduğunu söyleyebiliriz.

Savaşçının bakış açısından, bize olanın normal olduğunu söyleyebiliriz.

Bize olan şey, Yasa Kitabına sahip olmamızdır. Büyük Yargıç ve Kurbanın yaşamımızı yönetir duruma gelmesidir. Artık özgür olamayız çünkü Yargıç, Kurban ve inanç sistemimiz, bize kendimiz olma izni vermez.

Zihnimiz çöplükle programlandıktan sonra artık mutlu olabilmemiz de mümkün değildir.

İnsandan insana, nesilden nesle aktarılan bu eğitim zinciri insan toplumları için son derece normal kabul edilir. Kendileri gibi olmanız için sizi eğiten anne babanızı suçlamayın. Onların da bildiği buydu.

Başka ne öğretebilirlerdi ki? Onlar yapabildiklerinin en iyisini yapmaya çalıştı. Bu süreçte size verdikleri zarar, kendi korkularından, kendi inançlarından ve kendi ehlileştirilmişliklerinden kaynaklanıyordu. Aldıkları programlama üzerinde hiçbir kontrolleri olmadığı için farklı davranmaları da mümkün değildi.

Bu yüzden hayatınızda size zarar veren annenizi, babanızı, diğer insanları ve en önemlisi kendinizi suçlamanız gerekmiyor. Ama zarara dur demenin zamanı şimdidir.

Şimdi kendi anlaşmalarınızı kendiniz belirleyerek kendinizi Yargıcın diktatörlüğünden özgürleştirme zamanıdır. Şimdi Kurban rolünden özgürleşme zamanıdır.

Gerçek siz, hiç büyümemiş olan içinizdeki o küçücük çocuktur. Bazen içinizdeki çocuk dışarıya çıkar. O anlarda kendinizi mutlu hissedersiniz. Eğlenirken, oynarken, resim yaparken, piyano çalarken, kendinizi bir şekilde ifade ettiğiniz anlarda çocuk dışarıdadır. Bu anlar yaşamınızın en mutlu anlarıdır. Gerçek siz dışarıya çıktığında geçmişte takılmazsınız ve gelecekle ilgili endişe duymazsınız. O anlarda çocuk gibi olursunuz.

Çocuk gibi olabilmeyi değiştiren bir şey vardır: *sorumluluk.* Bu durumda Yargıç devreye girer: "Bir dakika, sorumluluklarını düşün, yapman gereken şeyler var. Çalışmak zorundasın. Okula gitmek zorundasın. Hayatını kazanmak zorundasın."

Tüm bu sorumluluklar aklımıza geldiğinde yüzümüz değişir ve yeniden ciddi bir surat takınır. Çocukların, yetişkinleri oynadığı oyunları izlerseniz o küçücük yüzlerinin değiştiğini görürsünüz. "Şimdi ben bir avukatım" dediğinde hemen yüzü değişir. Yetişkin yüz taklidini yapar. Mahkemelere gittiğimizde gördüğümüz yüz budur. Biz buyuz.

Biz hâlâ çocuğuz ama özgürlüğümüzü yitirmiş bir çocuğuz.

Aradığımız özgürlük. Kendimiz olma özgürlüğü, kendimizi ifade edebilme özgürlüğüdür.

Ama yaşamımızda yaptığımız şeylere baktığımızda çoğu yaptığımız şeylerin başkalarını memnun etmek, kabul ve onay görmek için olduğunu görürüz.

Kendimizi memnun etmek için ise çok az şey yaparız. Özgürlüğümüzün başına gelen işte budur.

İnsanların her bin kişiden dokuz yüz doksan dokuzu tümüyle ehlileştirilmiş bir yaşam sürer.

İşin garibi, özgür olmadığımızı fark etmeyiz bile. İçimizdeki bir ses bize özgür olmadığımızı fısıldar ama bunun ne olduğunu, neden özgür olmadığımızı anlayamayız.

Çoğu insan, hayatını Yargıcı ve Kurbanı keşfetmeden yaşar. Zihinleri Yargıç ve Kurban tarafından yönetildiği için özgür olma şansları da yoktur. Bireysel özgürlüğün ilk basamağı farkındalıktır.

Öncelikle özgür olabilmek için özgür olmadığımızın farkında olmamız gerekiyor. Problemi çözebilmek için problemin ne olduğunun farkında olmamız gerekiyor.

Farkındalık daima ilk basamaktır. Çünkü farkında olmadığınız bir şeyi değiştiremezsiniz. Zihninizin yaralarla ve duygusal zehirle dolu olduğunun farkında olmazsınız, yaraları temizlemeye ve iyileştirmeye de başlayamazsınız, acı çekmeye devam edersiniz.

Acı çekmekten aldığınız özel bir zevk yoksa, buna, "Yeter artık!" diyebilirsiniz. Bireysel rüyanızı iyileştirmek ve farklı bir rüyaya dönüştürmek için bir yol arayabilirsiniz.

Toplumsal rüya, sadece bir rüya, gerçek bile değil. Rüyanın içine dalıp, inançlarınızı sorgulamaya başlarsanız, size rehberlik yapan inançlarınızın çoğunun gerçek olmadığını keşfedersiniz. Bunca yıl yaşadığınız dramaları, çektiğiniz acıları bir hiç uğruna boşu boşuna çektiğinizi de anlarsınız. Neden? Çünkü zihninize yerleştirilmiş inanç sistemi yalanlar üzerine inşa edilmiştir.

Bu yüzden kendi rüyanızın ustası olmak önemlidir. Bu yüzden Toltekler rüya ustalarıdır. Hayatınız rüyanızın ifadesidir ve yaşam bir sanattır. Eğer rüyadan zevk almıyorsanız istediğiniz an yaşamınızı değiştirebilirsiniz. Rüya ustaları yaşamda baş yapıt yaratır. Seçimler yaparak rüyayı kontrol etmesini bilir. Her seçimin bir sonucu vardır. Rüya ustaları sonuçların farkındadır.

Toltek olmak bir yaşam yoludur. Bu yaşam yolunda liderler ve takipçiler yoktur. Kendi gerçeğiniz vardır ve bu gerçeği yaşarsınız.

Bir Toltek bilgedir, çılgındır, cesurdur ve özgürdür.

Bir insanın Toltek olabilmesi için üç ustalığa sahip olması gerekir.

Birincisi, Farkındalık Ustalığıdır. Bu kim olduğunuzun tüm olanaklarınızla birlikte farkında olabilmektir.

İkincisi, Dönüşüm Ustalığıdır. Nasıl değişebileceğimizi, ehlileştirilmekten nasıl özgürleşebileceğimizi bilmek ve uygulamaktır.

Üçüncüsü, Niyet Ustalığıdır. Toltek bakış açısı ile Niyet, enerjinin dönüşümünü sağlayan bir yaşam faktörüdür. Her şey olan "Tanrı"nın niyeti yaşamın ta kendisidir. Tanrının koşulsuz sevgisidir. Niyet Ustalığı Sevgi Ustalığıdır.

Toltekin Özgürlük Yolu, "ehlileştirilmişlikten özgürleşme" yolunun bütün haritasını sunar. Toltekler, Yargıcı, Kurbanı ve inanç sistemini insan zihnini ele geçiren bir parazite benzetir. Toltek bakış açısına göre ehlileştirilmiş tüm insanlar hastadır. Çünkü bu insanların zihnini ve beyinlerini ele geçiren parazit onları hasta yapar. Parazit, korkudan kaynaklanan negatif duygularla beslenir.

Bir parazit nasıl tanımlanır? Parazit, üzerinde yaşadığı canlıdan beslenen; beslendiği canlıya yararlı hiçbir katkıda bulunmayan; onun enerjisini emen; onu adım adım çökerten bir canlıdır. Yargıç, Kurban ve inanç sistemi bu tanıma aynen uyar. Bu üçlü, psişik ve duygusal enerjiden oluşan bir canlıdır. Bu enerji canlıdır. Tabii ki bu enerji somut değildir. Ama duygular da somut enerji değildir. Rüyalarımız da somut enerji değildir ama onların varolduğunu biliriz.

Beynin fonksiyonlarından biri de somut enerjiyi duygusal enerjiye dönüştürmektir. Beynimiz bir duygu fabrikasıdır. Zihnin ana fonksiyonu ise rüya görmektir. Toltekler zihninizi kontrol eden parazitin -Yargıç, Kurban ve inanç sistemi- bireysel rüyanızı da kontrol ettiğine inanır.

Parazit, zihniniz aracılığıyla rüya görür ve yaşamını sizin bedeninizde sürdürür. Gıdası korku temelli duygularınızdır. Ne kadar fazla acı çekerseniz ve drama yaratırsanız parazit o kadar iyi beslenir ve gelişir.

Aradığımız özgürlük, kendi zihnimizi ve kendi bedenimizi kullanabilmek, yaşamımızı inanç sistemine göre değil, kendi isteğimize göre yaşayabilmektir.

Zihnimizin Yargıç ve Kurban tarafından kullanıldığını, gerçek "kendimiz"in bir köşeye sıkışmış olduğunu anladığımızda iki seçimimiz vardır.

Seçimlerden biri, Yargıç ve Kurbana boyun eğip aynen yaşadığımız gibi yaşamaya devam etmek, toplumsal rüyaya uygun bir yaşam sürmektir.

Diğer seçim ise, çocukken yaptığımızı yapmaktır. Küçük çocuklar kendilerini ehlileştirmeye çalışan ebeveynlerine karşı çıkarlar.

Biz de başkaldırıp "Hayır!" diyebiliriz. Parazite karşı savaş açabiliriz. Yargıca ve Kurbana savaş açabiliriz. Bağımsızlığımız için, kendi zihnimizi ve beynimizi kullanma hakkımız için savaşabiliriz.

İşte bu nedenle Amerika'dan, Kanada'ya, Arjantin'e kadar tüm ŞAMAN geleneklerinde, insanlar kendilerine *savaşçı* der. Çünkü Şamanizmde insanlar zihindeki parazitle savaşır. Savaşçının gerçek anlamı budur. Savaşçı, parazitin zihni işgal etmesine karşı savaşır. Savaşçı olmak daima savaşı kazanmak anlamına gelmez. Kazanabiliriz de kaybedebiliriz de; ama daima yapabildiğimizin en iyisini yaparız. Yeniden özgürleşebilme şansımızı ancak böyle kullanırız. Bu yolu seçmek, en azından bize başkaldırının onurunu hissettirir ve bizi çaresiz bir kurban olmaktan çıkarır.

Kendi ansal duygularımızın ya da başkalarının zehirli duygularının esaretinden kurtuluruz. Düşmana yenilsek bile asla kolaylıkla teslim olan, savaşmayan kurbanlardan biri olmayız.

En iyi durumda ise, savaşçı olmak bize toplumsal rüyayı dönüştürme ve kendi bireysel rüyamızı *cennet* rüyasına çevirme olanağı verir.

Tıpkı cehennem gibi cennet de zihnimizdedir. Cennet haz duyduğumuz, sevmekte özgür olduğumuz ve kendimiz olduğumuz bilinç boyutudur.

Yaşarken cennete ulaşabiliriz. Ölmeyi beklememiz gerekmiyor. Tanrı daima anda yaşar ve cennet her yerdedir. Cenneti görebilmek için önce, gerçeği gören ve duyan gözlere ve kulaklara sahip olmamız gerekiyor. Gözlerin ve kulakların açılması için parazitten özgürleşmemiz gerekiyor.

Parazit; bin başlı canavara benzetilebilir. Her baş korkularımızdan biridir. Özgürleşmek için canavarı yok etmemiz gerekiyor.

Bunun birinci yolu parazitin başlarına tek tek saldırmaktır. Bu, korkularımızla teker teker yüzleşmek anlamına gelir. Yüzleştiğimiz her korku bizi biraz daha özgürleştirir.

İkinci yol ise paraziti beslemeye son vermektir. Parazite hiç gıda vermezsek onu açlıktan ölmeye mahkum ederiz.

Bunu yapmak için duygularımızı denetlemeyi öğrenmemiz gerekiyor. Korku temelli duygularımızı ateşlemekten sakınmamız gerekiyor. Bu, söylemesi kolay, yapması çok zor bir yoldur. Çünkü zihnimizi kontrol eden Yargıç ve Kurban işimizi zorlaştırmaya çalışır.

Üçüncü çözüm yoluna *ölümün inisiyasyonu* (initiation of the dead) denilir.

Ölümün inisiyasyonu dünyadaki birçok gelenek ve gizemci okullarda yer alan bir uygulamadır. Bu uygulamayı Mısır, Hindistan, Yunanistan ve Amerika'da değişik ezoterik öğretilerde bulabilirsiniz. Ölümün inisiyasyonu sembolik bir ölümdür. Bu ölümde fiziksel bedene zarar verilmeksizin parazit öldürülür. Biz sembolik olarak "öldüğümüzde" parazit de ölür.

Bu yol ilk iki yoldan daha hızlıdır ama çok daha zordur. Ölüm meleği ile yüzleşmek için büyük cesaretimizin olması, çok güçlü olmamız gerekir.

Bu çözümlere şimdi daha yakından bakalım.

DÖNÜŞÜM SANATI
İKİNCİ DİKKAT RÜYASI

Şu anda yaşadığınız rüyanın, toplumsal rüyanın dikkatinize çapa atarak sizin inanç sistemlerinizi beslemesi sonucu oluştuğunu öğrenmiştik.

Ehlileştirilme sürecine *ilk dikkat rüyası* da denilebilir. Çünkü yaşamınızın ilk rüyasını yaratmak için dikkatiniz ilk kez bu şekilde kullanıldı. İnançlarınızı değiştirmenin bir yolu tüm bu anlaşmalara ve inançlara odaklanarak kendinizle yaptığınız anlaşmaları değiştirmekten geçer.

Bunu yapmak için ikinci kez dikkatinizi kullanırsınız. Böylece *ikinci dikkat rüyası* yani yeni bir rüya yaratabilirsiniz.

Aradaki fark, siz artık masum değilsiniz. Çocukluğunuzda masumdunuz ve seçiminiz yoktu. Ama artık çocuk değilsiniz. Artık neye inanmanız, neye inanmamanız gerektiği arasındaki seçimi kendiniz yapabilirsiniz. İstediğiniz her şeye inanmayı seçebilirsiniz. Buna kendinize inanmak da dahildir.

Bunun için ilk adım zihninizdeki sisin farkında olmaktır. Her an rüya gördüğünüzün farkında olmaktır. Ancak farkındalıkla rüyanızı değiştirebilme olanağını kullanabilirsiniz.

Eğer, tüm yaşam dramanızın inançlarınızın sonucu olduğunun farkındalığına sahip olursanız ve inançlarınızın gerçek olmadığını bilirseniz, o zaman yaşamınızı değiştirmeye başlayabilirsiniz.

Ama inançlarınızı kökünden değiştirebilmek için dikkatinizi neyi değiştirmek istediğinize odaklamanız gerekiyor. Anlaşmaları değiştirmek için hangi anlaşmaları değiştirmek istediğinizi bilmeniz gerekiyor.

Bundan sonraki basamak sizi mutsuz kılan, korku temelli, sınırlayıcı inançlarınızın neler olduğunun farkındalığını geliştirmenizdir.

Tüm inançlarınızın kapsamlı bir dökümünü çıkarma süreci ile dönüşümünüz de başlar.

Toltekler buna Dönüşüm Sanatı diyor.

Dönüşüm Ustalığı, sizi mutsuz kılan tüm korku temelli anlaşmaları bozarak, zihninizi kendi seçtiğiniz biçimde yeniden programlamaktır.

Bunu yapabilmenin yollarından biri, dört anlaşma gibi alternatif inançları oluşturmak ve benimsemektir.

Dört anlaşmayı kabul etme kararı almak, parazitten özgürleşmeniz için sunduğunuz savaş deklarasyonudur.

Dört anlaşma size duygusal acılarınıza son verme olanağı sunar. Böylece kendinize, yaşamınızdan zevk almanın ve yeni bir rüya başlangıcının kapısını da açarsınız.

Yeni rüyanızın olanaklarını araştırmak sizin yapacağınız bir seçimdir.

Dört Anlaşma, size Dönüşüm Ustası olmanızda destek olmak için yaratıldı.

Dört Anlaşma ile, sizi kısıtlayıcı anlaşmalara son verebilir, bireysel gücünüzü kazanabilir ve çok daha güçlenirsiniz.

Siz güçlendikçe anlaşmaları bozma gücünüz de artar. Bir an gelir ki Dört Anlaşmanın bir yaşam biçimine dönüştüğüne şahit olursunuz. Tüm eski anlaşmalarınızın özüne kolaylıkla ulaşırsınız.

Bu anlaşmaların özüne inmeye *çöle gitmek* diyorum. Çöle gittiğinizde şeytanlarınızla yüz yüze gelirsiniz. Çölden geriye döndüğünüzde ise tüm şeytanlarınız meleğe dönüşür.

Dört yeni anlaşmayı uygulamak gücünüzün büyük gösterisidir. Zihninizdeki kara büyüleri bozmak büyük bireysel güç gerektirir. Bozduğunuz her eski anlaşmada yeni bir güç kazanırsınız.

Önce küçük ve daha az güç gerektiren anlaşmaları bozmakla işe başlayalım. Bu küçük anlaşmalar bozulduğunda bireysel gücünüz adım adım artacaktır. Ve nihayet zihninizdeki büyük şeytanlarla yüzleşme gücüne ulaşacaksınız.

Örneğin, "Şarkı söyleme!" denilen küçük kız şimdi yirmi bir yaşında ve hâlâ şarkı söylemiyor. Bu inancı yenmesinin bir yolu "Pekala, kötü de söylesem şarkı söyleyeceğim" demekten geçiyor.

Genç kız şarkı söylerken, birisinin el çırparak ona "Oh, çok güzel söylüyorsun" dediğini hayal edebilir. Bu, anlaşmayı bozmaya başlar ama anlaşma hâlâ oradadır. Ama şimdi biraz daha fazla güce ve cesarete sahip olduğu için tekrar tekrar denemeye devam edecektir. Ta ki anlaşmayı bozana kadar.

Bu yol, cehennem rüyasından kaçmanın bir yoludur. Ama size acı veren bir anlaşmanın yerine sizi mutlu kılan yeni bir anlaşmayı koymanız gerekiyor. Bu yerini doldurma, eski anlaşmanın geri gelmesini engeller. O zaman eski anlaşma tümüyle yok olur çünkü yerinde yeni bir anlaşma vardır.

Zihninizde -çok sayıda- varolan güçlü inançlar bu yöntemi uygulamakta gözünüzü korkutabilir. Bu nedenle adım adım ilerlemeniz ve kendinize sabır göstermeyi bilmeniz gerekir çünkü bu yol yavaş bir süreçtir.

Şu andaki yaşam biçiminiz, yılların ehlileştirme ürünüdür. Ehliliğinizden bir günde kurtulmayı beklemeyin.

Anlaşmaları bozmak zordur çünkü yaptığımız her anlaşmaya sözümüzün gücünü (irademizi) koyarız.

Anlaşmayı değiştirmek için aynı miktarda güce ihtiyacımız vardır. Bir anlaşmayı değiştirmek için o anlaşmayı yaparken kullandığınız güçten daha azını kullanmak yeterli olmaz. Neredeyse tüm bireysel gücünüz, kendinizle yaptığınız anlaşmaları korumak üzere yaptığınız yatırıma harcanır. Çünkü anlaşmalarımız adeta bağımlılıklarımız gibidir.

Bağımlılıklar güçlü olduğu için onlardan kurtulmak da zordur.

Şu andaki mutsuz yaşamımıza da bağımlıyız. Kızgınlığa, kıskançlığa, kendimize acımaya bağımlıyız. "Yeterli değilim. Yeterince zeki değilim. Neden çaba göstereyim ki? başkaları yapabilir ama ben yapamam. Çünkü onlar benden daha iyi" türünden inançlara bağımlıyız.

Eski anlaşmalar tekrar edile edile güçlenir. Ve öylesine güçlenir ki artık yaşam rüyamızı yöneten onlardır. Bu nedenle dört anlaşmayı yapabilmek için tekrara başvurmamız gerekir. Bir şeyi tekrar etmek ona güç kazandırır. Yeni anlaşmaları yaşamınızda tekrar tekrar uygulayarak en iyiniz daha iyiye doğru gider.

Tekrar ustalık yaratır.

SAVAŞÇININ DİSİPLİNİ
KENDİ DAVRANIŞLARINIZI KONTROL ETMEK

Sabah erkenden uyandığınız bir günü düşünün. Canlılık ve enerji dolusunuz. Kendinizi coşkulu ve mutlu hissediyorsunuz. Günü karşılamak için müthiş bir enerjiniz var.

Ama kahvaltıda eşinizle büyük bir kavga yaşıyorsunuz. Bir duygu seli dışarıya çıkıyor. Kızgınlık ve öfkeyle bireysel gücünüzün çoğunu harcıyorsunuz. Kavgadan sonra kendinizi tükenmiş hissediyorsunuz. Odanıza gidip ağlamak istiyorsunuz. Kendinizi o kadar yorgun hissediyorsunuz ki odanıza gider gitmez yatağa adeta yığılıyorsunuz.

Gününüz bu duyguların etkisi altında geçiyor. Kendinizi enerjisiz hissediyor ve keşke her şeyden uzaklaşabilsem, kaçıp gitsem diye düşünüyorsunuz.

Her gün, gün boyunca kullanacağımız zihinsel, duygusal ve fiziksel enerjiyle uyanırız. Eğer duygularımızın, enerjimizi tüketmesine izin verirsek, yaşamımızı değiştirecek ya da başkalarıyla paylaşacak enerjimiz kalmaz.

Dünyaya bakış açınız hissettiğiniz duygulara bağlıdır. Kızgın olduğunuzda etrafınızdaki her şey size yanlış gelir. Hiçbir şey doğru değildir. Havaya bile kızarsınız. Yağmur da yağsa, güneşli bir gün de olsa kızacak bir şey bulursunuz. Hiçbir şey size haz vermez.

Üzgün olduğunuzda etrafınızdaki her şey size üzüntü verir ve ağlamak istersiniz. Ağaçlar sizi hüzünlendirir, yağmur sizi hüzünlendirir, her şey gözünüze çok hüzünlü gelir.

Bazen kendinizi çaresiz ve aciz hissedersiniz. Kendinizi korumak istersiniz, çünkü kimin ne zaman size saldıracağını bilemezsiniz. Etrafınızdaki hiç kimseye ve hiçbir şeye güven duymazsınız. Çünkü dünyayı korkunun gözleriyle görürsünüz.

İnsan zihnini cildinizmiş gibi hayal edin. Sağlıklı bir cildiniz varsa kendinize dokunmaktan, cildinizi okşamaktan zevk alırsınız. Deriniz bir algılama kapısıdır ve dokunma duygusu çok güzeldir.

Şimdi cildinizin yaralandığını, kesildiğini ya da mikrop kaptığını düşünün. Yaralı cildinize dokunduğunuzda canınız yanacaktır. Yaranızın üzerine sargı bezi koymak ve cildinizi korumak isteyeceksiniz. O bölgenize dokunulmasını istemeyeceksiniz. Çünkü canınız yanacaktır.

Şimdi tüm insanlarda cilt hastalığı olduğunu düşünün. Hiç kimse birbirine dokunamayacaktır çünkü canları acıyacaktır. Ama herkesin cildi yaralı ve hastalıklı olduğu için enfeksiyon "normal" görülecektir. Acı da "normal" olarak algılanacaktır. Hepimiz bu durumu normal ve olması gereken buymuş gibi algılamaya başlayacağız.

Eğer dünyadaki tüm insanların ciltleri hastalıklı, yaralı ve iltihaplı olsaydı birbirimize nasıl davranacağımızı düşünebiliyor musunuz?

Birbirimize sarılmamız pek mümkün olmayacaktı, çünkü sarılmak bize acı verecekti. Bu yüzden aramıza büyük mesafeler koymak zorunda kalacaktık.

İnsan zihni de tıpkı yaralı bir cilt gibidir. Her insanın yaralarla kaplanmış duygusal bir bedeni vardır. Ve bu yaralar duygusal zehirle enfeksiyonel hale gelmiştir -bize acı çektiren nefret, öfke, kıskançlık, üzüntü gibi duyguların zehirleriyle.

Herhangi bir adaletsiz davranış, zihinde bir yara açar. Biz bu yaraya duygusal zehirle tepki veririz. Çünkü neyin adaletsiz, neyin adil olduğuna dair inançlarımız ve kavramlarımız vardır.

Zihin ehlileştirilme süreci içinde öylesine yaralanmış ve zehirle dolmuştur ki, herkes bu yaralı zihni "normal" olarak tanımlar.

Herkes de olduğu için normal kabul edilen bu durum, gerçekte hiç de normal değildir.

Toplumsal rüyamız son derece hastalıklı ve insanlar korku denilen hastalıktan mustarip. Bu hastalığın semptomları bize acı çektiren tüm duygulardır: öfke, nefret, üzüntü, kıskançlık ve kalleşlik.

Korku büyük boyutlara eriştiğinde, mantıksal zihin, fonksiyonunu yerine getirmemeye başlar ve biz bu durumu akıl hastalığı olarak tanımlarız. Zihin çok korku dolu, yaralar çok acı verici olduğunda psikotik davranışlar başlar. Psikotik davranışlar, toplumsal rüya ile yapılan kontratların ani bir şekilde feshedilmesidir; "normal"in dayanılmaz acısından kaçmanın bir yoludur.

Zihnimizin hasta olduğunu görebilirsek, tedavi de olabiliriz. Acı çekmek zorunda değiliz. Önce duygusal yaraları açmak, zehri boşaltmak ve yarayı iyileştirmek için gerçeği bilmeye ihtiyacımız var.

Bunu nasıl yaparız? Bize yanlış davrandığını düşündüğümüz kişileri affederek. Onlar affedilmeyi hak ettikleri için değil, kendimizi sevdiğimiz için. Adaletsizliğin bedelini tekrar tekrar kendimiz ödemek istemediğimiz için.

Affetmek, iyileşmenin tek yoludur. Affetmeyi seçmek kendimize şefkat duymak demektir. İçimizde birikmiş tepki ve kızgınlıklara "Yeter! Bana kötülük yapan Yargıcın işine son veriyorum. Artık kendimi cezalandırmaya ve incitmeye son veriyorum. Artık Kurban olmayacağım" diyebiliriz.

Affetmeye anne ve babamızdan başlayarak, kardeşlerimizi, arkadaşlarımızı ve Tanrıyı affetmeye ihtiyacımız var.

Tanrıyı affettiğinizde kendinizi affetmiş olursunuz. Kendinizi affettiğinizde öz-reddediş sona erer, öz-kabul başlar ve öz-sevgi öylesine büyür ve gelişir ki nihayet kendinizi olduğunuz gibi kabul edersiniz.

Bu, özgür bir insan olmanın başlangıcıdır. Anahtar, affetmektir.

Birisini affettiğinizi nasıl anlarsınız?

O kişiyi gördüğünüz zaman artık duygusal reaksiyon göstermediğinizde.

O kişinin ismini duyduğunuzda duygusal tepki vermediğinizde.

Birisi yaralı yerinize dokunduğunda acı hissetmediğinizde. Çünkü artık yara iyileşmiştir. İşte o zaman gerçekten affetmiş olduğunuzu bilirsiniz.

Gerçek, neşter gibidir. Gerçek acı verir çünkü yalan iltihabıyla kaplı bütün yaraları açar ve temizler.

Yaraları neşterin geçici acısına katlanarak iyileştirebiliriz. Bu yaralara *yadsıma sistemi* ya da *savunma mekanizmaları* diyoruz.

Yadsıma sistemi, yaraların üzerini örten kabuk gibidir. Yaraların daha fazla zarar görmesini bir şekilde engeller. Böylece hâlâ işlevselliğimizi sürdürebiliriz.

Ama artık yaramız ve zehrimiz kalmadığında yalanlara da ihtiyacımız kalmaz çünkü sağlıklı bir zihne, tıpkı sağlıklı bir cilt gibi rahatlıkla dokunulabilir. Zihin temiz olduğunda dokunulmaktan da haz alır.

Çoğu insanın sorunu duygularının kontrolünü yitirmesidir. Duygular insanın davranışlarını yönettiğinde, insan duygularını yönetemez hale gelir. Kontrolümüzü yitirdiğimizde, söylemek istemediğimiz şeyleri söyleriz, yapmak istemediğimiz şeyleri yaparız.

Bu nedenle, sözümüzde özenli bir spiritüel savaşçı olmak çok önemlidir.

Duygularımızı yönetmeyi öğrendiğimizde, bireysel gücümüz artar. Bu güçle korku temelli anlaşmalarımızı değiştirebilir, cehennemden kaçıp kendi bireysel cennetimizi yaratabiliriz.

Bir savaşçı nasıl olunur? Dünyanın her yerindeki savaşçıların belirli ortak özellikleri vardır.

Bir savaşçı farkındalığa sahiptir. Bu çok önemlidir. Savaşta olduğumuzun farkında olduğumuz için zihnimizin disipline ihtiyaç duyduğunun da farkında olur.

Bu bir askerin disiplini değil, bir savaşçının disiplini olmalıdır. Asker disiplininde dışarıdan birileri bize ne yapmamız gerektiğini söyler, savaşçı disiplini ne olursa olsun kendimiz olmayı gerektirir.

Bir savaşçı kontrol etmeyi bilir. Başka bir insanı değil, kendi duygularını kontrol etmeyi bilir. Duygularımızı kontrol etmeyi yitirdiğimizde duygularımızı bastırırız, duygularımızın yönetimi bizde olduğunda değil. Duyguların kontrolü, onları bastırmak anlamına gelmez.

Bir savaşçıyla bir kurban arasındaki fark, kurban duygularını bastırır, savaşçı duygularını denetler. Kurban duygularını bastırır, çünkü duygularını göstermekten, söylemek istediğini söylemekten korkar. Savaşçı duygularını denetler ve onları doğru zamanda ifade eder. Ne daha önce ne daha sonra.

Bu nedenle savaşçılar sözlerinde özenlidir. Duygularını ve davranışlarını yönetme konusunda tam bir kontrole sahiptir.

ÖLÜMÜN İNİSİYASYONU
ÖLÜM MELEĞİNİ KUCAKLAMAK

Bireysel özgürlüğe ulaşmanın son yolu kendimizi ölümün inisiyasyonuna hazırlamaktır. Ölüm meleği bize gerçekten yaşamanın ne olduğunu öğretebilir. Bu yolla her an ölebileceğimizin farkındalığına sahip oluruz; yaşamak için yalnızca içinde bulunduğumuz şu ana sahip olduğumuzu biliriz. Gerçek şu ki, yarın hayatta olup olmayacağımızı bilmiyoruz. Kim biliyor ki? önümüzde daha uzun yıllar olduğunu düşünüyoruz. Peki var mı?

Eğer doktor bize bir haftalık ömrümüz kaldığını söylese ne yaparız? İki seçimimiz var. Bir seçim, öleceğimiz için üzüntü ve acı çekmektir. Herkese öleceğimizi söyler, "Zavallı ben öleceğim" diyerek büyük bir drama yaratırız. Diğer seçim, her anı mutlu olarak, gerçekten haz aldığımız şeyleri yaparak geçirmektir. Eğer yaşamak için bir haftamız kalmışsa bu seçimle hayatın her anından zevk alabiliriz. Canlı olduğumuzu dolu dolu hissedebiliriz, "Kendim olacağım. Kalan zamanımı başkalarını mutlu etmeye çalışarak tüketmeyeceğim. Benim hakkımda neler düşüneceklerinden korkmayacağım. Bir hafta sonra öleceksem, hakkımdaki düşüncelerinin ne önemi var? Kendim olacağım" diyebiliriz.

Ölüm meleği bize her günümüzü son günümüzmüş gibi yaşamayı öğretebilir.

Her güne şöyle başlayabiliriz: "Uyanığım, güneşi görüyorum. Güneşe, herkese, her şeye şükranımı sunacağım. Çünkü hâlâ yaşıyorum. Kendim olmak için bir gün daha!"

Ben hayatı böyle görüyorum. Ölüm meleği bana bunu öğretti. Tümüyle açık olmayı, korkacak bir şey olmadığını bilmeyi öğretti. İnsanlara sevgiyle yaklaşmayı ve onları sevdiğimi söyleyebilmeyi öğretti. Çünkü bugün sevdiklerime "seni seviyorum" demek için son günüm olabilir. Sizi tekrar görüp görmeyeceğimi bilmiyorum. Bu yüzden de sizinle kavga etmek istemiyorum.

Sizinle kocaman bir kavgaya giriştikten ve size bütün duygusal zehrimi akıttıktan sonra siz yarın ölseniz ne olur? Oh Tanrım! Yargıç beni çok kötü yargılar ve size söylediğim her şey için kendimi son derece suçlu hissederim. Hatta size "seni seviyorum" demediğim için de suçluluk duyarım.

Beni mutlu eden sevgi, sizinle paylaşabildiğim sevgidir. Sizi sevdiğimi niye yadsıyayım ki? Sizin, sevgime karşılık verip vermediğiniz önemli değildir. Yarın siz ya da ben ölebiliriz. Beni şu anda mutlu eden şey, size "seni seviyorum" diyebilmektir.

Hayatınızı bu şekilde yaşayabilirsiniz. Bunu yaparak, kendinizi ölümün inisiyasyonuna hazırlamış olursunuz. Bu yolla, eski rüyanız tümüyle ölür. Evet, parazitin anılarını hatırlarsınız ama parazit artık ölmüştür.

Ölümün inisiyasyonunda ölen parazittir. Yani Yargıç, Kurban ve inanç sisteminiz ölür. Ama bu yol kolay değildir. Çünkü Yargıç ve Kurban tüm güçleriyle sizinle mücadele edecektir. Onlar ölmek istemezler tabii. Bize, bizim öleceğimiz inancını vermeye çalışırlar. Biz de ölmek istemediğimiz için ölümden korkarız.

Toplumsal rüya içinde zaten ölü gibi yaşıyoruz. Ölümün inisiyasyonundan geçen kişi harikulade bir armağan alır: Yeniden doğuş. Ölümden sonra yine canlı olmak, yine kendimiz olmak.

Yeniden doğuş, yeniden çocuk gibi olmaktır; spontan ve özgün... ama bir farkla; bu kez özgürlük bilgelikle gelir.

Özgür ve masum çocuğun yerini, özgür ve bilge -çocuk gibi- yetişkin alır.

Ehlileştirilmenin tutsaklığından özgür, duyguların yaralarından özgür olarak zihniniz iyileşir.

Ölüm meleğine teslim olduğumuzda parazit ölür, biz yine sağlıklı bir zihin ve berrak bir mantıkla canlı oluruz. O zaman zihnimizi özgürce kullanabilir ve yaşamımızı özgürce şekillendirebiliriz.

Toltek yolunda bize ölüm meleğinin öğrettiği şey budur. Ölüm meleği bize gelip şöyle der: "Burada gördüğün her şey benimdir, senin değil. Senin evin, senin eşin, senin çocukların, senin araban, senin kariyerin, senin paran -her şey benimdir.

İstediğim an her şeyi senden alabilirim ama şimdilik bunları kullanabilirsin."

Ölüm meleğine teslim olmayı seçtiğimizde sonsuza dek mutlu oluruz. Neden? Çünkü ölüm meleği yaşamın devam edebilmesi için geçmişi bizden alır. Geçmiş olan her anı ölüm meleği almaya devam eder. Çünkü geçmiş ölüdür ve biz canlı olan anda yaşamayı sürdürürüz.

Parazit geçmişin yükünü sırtımızda taşımamızı ister. Bu ağırlıkla yaşamımızı zorlaştırmak ister. Yaşamın ağırlığını taşımaktan yaşayamayız bile. Geçmişte yaşarken andan haz almamız ne mümkün?

Geleceği düşlerken geçmişin acılarını taşımanın ne gereği var?

Ne zaman anda yaşayacağız?

İşte ölüm meleğinin bize öğrettiği şey budur.

7

YENİ RÜYA

Sonsuzluğun ötesi içinizdedir

Dünyada Cennet

Sizden yaşamınız boyunca öğrendiğiniz her şeyi unutmanızı istiyorum. Bu, yeni bir anlayışın, yeni bir rüyanın başlangıcıdır.

Yaşadığınız rüya kendi yaratıcılığınızın eseridir. Kendi gerçeklik algılamanızdır. Bu realiteyi istediğiniz an değiştirebilirsiniz.

Cehennemi yaratma gücünüz de var, cenneti yaratma gücünüz de.

Zihninizi, hayal gücünüzü, duygularınızı cennet rüyası yaratmak için kullanabilirsiniz.

Sadece hayal gücünüzü kullanarak olağanüstü şeyler yaratabilirsiniz.

Farklı gözlerle dünyaya baktığınızı düşleyin.

Gözlerinizi açtığınızda dünyayı farklı algılayacağınızı bilin.

Şimdi gözlerinizi kapayın. Bir süre sonra gözlerinizi açın ve etrafınıza bakın.

Ağaçlardan, gökyüzünden, ışıktan sevgi fışkırdığını göreceksiniz. Etrafınızda olan her şeyde sevgiyi algılayacaksınız. Kendiniz ve diğer insanlar da dahil her şeyden sevgiyi direkt olarak algılayacaksınız. Üzgün ya da kızgın insanlarda bile bu duygunun arkasında sevginin olduğunu göreceksiniz.

Yeni bir yaşam sürdüğünüzü, yeni bir rüya gördüğünüzü düşleyin. Bu yaşamda varoluşunuza mazeret bulmaya çalışmayacaksınız ve kendiniz olmakta özgür olacaksınız.

Mutlu ve haz dolu olduğunuzu düşleyin. Kendinizle ve diğer insanlarla uyumlu bir yaşam sürdüğünüzü düşleyin.

Kendi rüyalarınızı ifade etmekten korkmadığınız bir yaşam düşleyin.

Başkaları tarafından yargılanmaktan korkmadığınız, istediğiniz zaman "evet", istediğiniz zaman "hayır" diyebildiğiniz bir yaşam düşleyin.

Kimsenin fikrinden sorumlu olmadığınız, kimseyi kontrol etme ihtiyacı duymadığınız, kimsenin sizi kontrol etmesine izin vermediğiniz bir yaşam düşleyin.

Kimseyi yargılamadığınız, herkesi kolaylıkla affettiğiniz bir yaşam düşleyin.

Haklı olma ihtiyacı duymadığınız, kimseyi haksız kılma ihtiyacı duymadığınız bir yaşam düşleyin.

Kendinize ve başkalarına saygı duyduğunuz ve başkalarından saygı gördüğünüz bir yaşam düşleyin.

Sevme korkusu ve sevilmeme korkusu olmadan yaşadığınızı düşleyin.

Reddedilme korkusu ve kabul görme ihtiyacı duymadığınız, özgürce "seni seviyorum" diyebildiğiniz bir yaşam düşleyin.

Risk almaktan korkmadığınız ve yaşamı keşfetmenin hazzını duyduğunuz bir yaşam düşleyin.

Yaşamaktan da ölmekten de korkmadığınız bir dünyayı düşünün.

Bunları düşlemenizi istiyorum. Çünkü bu düşledikleriniz tümüyle mümkün.

Bu cennet boyutu sadece sevme yeteneğiyle mümkündür.

Aşık olduğunuzda her şey size güzel gelir. Bulutlarda gezersiniz. Her yerde sevgiyi görürsünüz. Bu boyutta sürekli yaşamak mümkün. Bu boyutta yaşayan insanlar var.

Dünya çok güzel ve çok harika bir yer. Sevgiyi bir yaşam biçimi yaptığınızda yaşam çok kolaylaşır. Dünyada cennetin varolduğunun gerçekliğini bilirsiniz.

Her an sevecen olabilirsiniz. Bu bir seçimdir. Sevmek için bir neden bulmanız gerekmiyor.

Sevmenin çok güzel bir nedeni de var. Çünkü sevmek sizi mutlu kılar.

İfade edilen sevgi sadece mutluluk üretir.

Sevgi size dinginlik ve iç barış verir.

Algılamanızı genişletir.

Her şeyi sevginin gözleriyle görebilirsiniz.

Sevginin her yerde olduğunun farkında olabilirsiniz.

Sevgiyle yaşadığınızda zihninizdeki sis yok olur. *Mitote* yok olur gider.

İnsanların binlerce yıldır aradığı şey bu.

Binlerce yıldır mutluluğu arıyoruz.

Mutluluk bir kayıp cennet.

İnsanların bu noktaya gelişi zihnin evriminin bir parçasıdır.

Cennet, insanlığın geleceğidir.

Böyle bir yaşam mümkün ve bu kendi elinizde.

Sevgi bilinciyle sürülen yaşama, Musa, Vaat Edilen Toprak; Buda, Nirvana; İsa, Cennet dedi. Toltekler de Yeni Rüya diyor.

İçinizdeki parazit siz değilsiniz.

Parazitten kurtulun ve sevgiyi deneyimlemek için boşluk yaratın.

Yargıca ve Kurbana bağımlı olduğunuz sürece acı çekersiniz. Acı çekmek size güvenli gelebilir, çünkü çok iyi bildiğiniz bir şeydir. Ama acı çekmek gerekli değildir.

Acı çekiyorsanız, acı çekmeyi seçtiğiniz içindir.

Yaşamınızda acı çekmek için birçok neden, birçok mazeret bulabilirsiniz ama asla *iyi* bir neden, *gerçek* bir neden bulamazsınız.

Aynı şey mutluluk için de geçerlidir.
Mutlu olmanızın tek nedeni mutlu olmayı seçmenizdir.
Acı da, mutluluk da bir seçimdir.
Cehennemde yaşamak da, cennette yaşamak da bir seçimdir.
Ben cennette yaşamayı seçiyorum.
Sizin seçiminiz ne?

DUALAR

Sonsuzluğun ötesi içinizdedir

Lütfen şimdi gözlerinizi kapatın ve yüreğinizi açın.

Yüreğinizden gelen tüm sevgiyi hissedin.

Sözlerime zihninizle ve yüreğinizle katılmanızı istiyorum.

Sevginin güçlü bağlantısını hissetmenizi istiyorum.

Birlikte, yaratıcı ile bir olmayı deneyimlemek için çok özel bir dua edeceğiz.

Dikkatinizi akciğerlerinize odaklayın.

Sadece akciğerleriniz var. Ciğerlerinizin iyice genişlediğini hissedin. İnsan bedeninin en büyük ihtiyacı olan havayı içinize çekin.

Derin bir nefes alın ve ciğerlerinizin havayla dolduğunu hissedin. Havanın sevgi olduğunu hissedin. Hava ile ciğerleriniz arasındaki sevgi bağını hissedin.

Ciğerlerinizi sonuna kadar doldurun. Ve nefesinizi vermenin hazzını hissedin.

Bedenin herhangi bir ihtiyacını karşıladığınızda bu bize haz verir. Nefes almak bize haz verir. Sadece nefes almak bile mutlu olmamız için yeterlidir. Yaşamanın, canlı olmanın hazzını hissedin. Sevgiyi hissetmenin hazzını duyun.

ÖZGÜRLÜK DUASI

Evrenin yaratıcısı. Bugün bizimle sevgiyi paylaşmanı istiyoruz.

Gerçek adının Sevgi olduğunu biliyoruz. Seninle iletişim içinde olmak aynı vibrasyonu, aynı titreşimi paylaşmak demek. Çünkü evrende varolan tek şey sensin.

Bugün, bize senin gibi olmamız için, yaşamı sevmemiz için, yaşam olmak, sevgi olmak için yardım et.

Bize senin gibi sevmemiz için yardım et.

Koşulsuz, beklentisiz, görevsiz, yargısız.

Kendimizi yargılamadan sevmemiz ve kabul etmemiz için bize yardım et.

Çünkü kendimizi yargıladığımızda suçlu buluyoruz ve cezalandırıyoruz.

Başkalarını koşulsuz sevmemiz için bize yardım et.

Onları yargılamadan kabul etmemiz için bize yardım et. Çünkü onları yargıladığımızda suçlu buluyoruz ve cezalandırıyoruz.

Başkalarını reddettiğimizde kendimizi reddediyoruz, kendimizi reddettiğimizde Seni reddediyoruz.

Yarattığın her şeyi koşulsuz sevmemiz için bize yardımcı ol.

Bugün yüreğimizi ve duygusal zehrimizi temizle.

Zihnimizi yargılardan özgürleştir. Böylece saf huzur ve saf sevgiyle yaşayabilelim.

Bugün çok özel bir gün. Bugün yüreklerimizi yeniden açıyoruz ve birbirimize "Seni seviyorum" diyoruz -korkmadan ve sevgiyi hissederek.

Bugün kendimizi sana sunuyoruz.

Bize gel, sesimizi, gözlerimizi, ellerimizi ve yüreklerimi kullan. Kullan ki sevgiyi herkesle paylaşabilelim.

Yaratıcı. Bugün tıpkı Senin gibi olmamız için bize yardım et.

Bugün bize verilen her şey için şükranlarımızı sunuyoruz -özellikle kendimiz olabilme özgürlüğümüz için.

Amin.

SEVGİ DUASI

Birlikte güzel bir rüyayı paylaşacağız. Her zaman görmek isteyeceğiniz bir rüyayı.

Bu rüyada ılık, güzel bir yaz günündesiniz. Kuşların, rüzgarın ve minik ırmağın sesini işitiyorsunuz. Irmağın kıyısına gidiyorsunuz. Kıyıda yaşlı bir adam meditasyon yapıyor. Yaşlı adamın başının üzerinden rengarenk bir ışık yayıldığını görüyorsunuz. Onu rahatsız etmemeye çalışıyorsunuz. Ama o, varlığınızı hissediyor ve gözlerini açıyor. Gözleri sevgi ve kocaman tebessüm dolu. Ona bu rengarenk ışığı nasıl yaydığını soruyorsunuz. Size de bunu yapabilmeyi öğretmesini istiyorsunuz. O da, uzun yıllar önce aynı soruyu kendi öğretmenine sorduğunu söylüyor.

Yaşlı adam size hikayesini anlatmaya başlıyor:

"Öğretmenim göğsünü açtı, kalbini dışarı çıkardı ve yüreğinden güzel bir alev aldı. Sonra benim göğsümü açtı, yüreğimi dışarı çıkardı ve küçük alevi içine yerleştirdi. Yüreğimi yeniden göğsümün içine koydu. Yüreğim içine girer girmez yoğun bir sevgi hissettim. Çünkü yüreğime koyduğu alev, kendi sevgisiydi. Bu alev yüreğimde büyüdü, büyüdü kocaman bir ateş oldu. Bu ateş yakmıyordu ama dokunduğu her şeyi arındırıyordu. Ateş bedenimin her hücresine dokundu. Ve hücrelerim bana Sevgiyi geri verdi. Bedenimle bir oldum ama Sevgim daha da büyüdü. Bu kez ateş tüm duygularıma dokundu ve tüm duygularım güçlü ve yoğun Sevgiye dönüştü. Ve kendimi bütünüyle ve koşulsuz sevdim. Ama ateş yanmaya devam ediyordu. Sevgimi paylaşmaya ihtiyaç duyuyordum. Sevgimi ağaçlara dağıtmaya başladım. Bir parça Sevgi koyduğum her ağaç bana Sevgiyi geri verdi. Ağaçlarla bir oldum. Ama Sevgim yine durmadı, daha da büyüdü. Bir parça Sevgimi, her çiçeğe, çimene, toprağa verdim. Onlar da bana Sevgilerini geri verdi. Ve bir olduk. Sevgim daha da büyüdü, büyüdü, büyüdü ve dünyadaki her hayvana Sevgimi verdim. Hayvanlar bana Sevgiyi geri verdiler ve Bir oldum. Ama Sevgim büyümeye devam ediyordu.

Sevgimi her kristale, her taşa, metale, suya, okyanusa, nehirlere, yağmura, karaya, havaya, rüzgara verdim. Her şey bana sevgiyi geri verdi. Ve onlarla Bir oldum.

Sevgim büyümeye devam etti.

Başımı gökyüzüne çevirdim, Sevgimi güneşe, yıldızlara, aya verdim. Onlar da bana Sevgiyi geri verdi. Güneşle, ayla, yıldızlarla Bir oldum.

Sonra Sevgimi parça parça her insanın içine koydum. Ve tüm insanlıkla Bir oldum.

Nereye gidersem gideyim, kiminle tanışırsam tanışayım, her bir insanın gözlerinde kendimi gördüm. Çünkü ben her şeyin parçasıyım. Çünkü ben seviyorum."

Ve yaşlı adam göğsünü açarak yüreğini çıkarır, yüreğindeki bir alevi sizin yüreğinize koyar. Artık siz de her şeyle Birsiniz: rüzgarla, suyla, yıldızlarla, doğayla, hayvanlarla, insanlarla.

Yüreğinizden yayılan sıcaklığı ve ışığı hissediyorsunuz. Başınızın üzerinden rengarenk bir ışık yayılıyor. Sevginin ışığını yayıyorsunuz ve şöyle diyorsunuz:

"Evrenin yaratıcısı. Bana yaşam denilen armağanı verdiğin için teşekkür ediyorum. Gerçekten ihtiyacım olan her şeyi bana verdiğin için teşekkür ederim. Bu güzel bedeni ve zihni deneyimleme imkanı verdiğin için teşekkür ederim. Tüm sevginle, saf ve sınırsız ruhunla, sıcak ve parlak ışığınla içimde yaşadığın için teşekkür ederim. Gittiğim her yerde sevgini paylaşmak için, sözlerimi, gözlerimi, yüreğimi kullandığın için teşekkür ederim. Seni olduğun gibi seviyorum çünkü ben senin yarattığınım. Kendimi olduğum gibi seviyorum. Yüreğimdeki sevgiyi ve huzuru hep korumama yardım et. Bu sevgiyle yeni bir yaşam yaratmaya ve hayatımın geri kalan döneminde sevgiyle yaşamama yardım et.

Amin

Don Miguel Ruiz, Toltek Bilgeliği geleneğinin bir ustasıdır. Eşsiz bilgi birikimini workshop, konferans ve Meksika'da rehberlik ettiği Teotihuacan gezileriyle paylaşır. "Piramit şehir" olarak bilinen bu yer, Toltekler tarafından "İnsanın Tanrı Olduğu Yer" diye de tanımlanır. Bu şehirde Don Miguel, eski duru görücülerin, gerçeği arayanlara bilinçlerini yükseltirken rehberlik etmesi için açtıkları yolu takip ediyor.

Daha fazla bilgi için:
SIXTH SUN
Journeys of the Spirit
P.O. Box 1846
Carlsbad, CA 92018-1846
(800) 294-3203
www.miguelruiz.com

Dört Anlaşma'nın yazarından

Beşinci Anlaşma

BİR TOLTEK BİLGELİK KİTABI

DON MIGUEL RUIZ

DON JOSE RUIZ
JANET MILLS

...ÖTESİ

Ustaca Sevmek

Don Miguel Ruiz

...ÖTESİ

BAĞLANMANIN BEŞ SEVİYESİ

MODERN DÜNYA İÇİN
TOLTEK BİLGELİĞİ

DON MIGUEL
RUIZ JR.

Önsöz
DON MIGUEL RUIZ

WORKSHOP

NLP

NLP her şeyin kendiliğinden, beklenenin de ötesinde bir kolaylıkla yoluna girdiği tesadüfi anların ardında yatan dinamiği inceleme ve uygulama bilmidir. NLP bu anların sizin seçiminiz doğrultusunda bilinçli olarak yaratılmasının bilmidir.

NLP ÖĞRENMEK SİZE NE KAZANDIRIR?

- Bütün ilişkilerinizde istediğiniz sonucu yaratacaksınız.
- Zihinsel stratejileri kolaylıkla çözümleyebileceksiniz.
- Fikirlerinizi net bir şekilde aktarabileceksiniz.
- Başkalarının sizi nasıl algıladığını fark edeceksiniz.
- NLP tekniklerini kullanarak yaşamınızı daha kaliteli hale getireceksiniz.

NLP tekniklerinin öğrenilmesi ve uygulanması kolay, yarattığı sonuçlar güçlü olduğu için sonuçları anında göreceksiniz.

NLP, iletişim kurmayı arzuladığınız her insanın kendine özgü dilini anlama ve o kişiyle kendi anladığı bireysel dilde iletişim kurabilme sanatıdır.

Edilgen insanın yaşamı tesadüflere bağlıdır.
Etkin insan yaşamını kendisi belirler.
Edilgen insan için anlaşılmak önemlidir.
Etkin insan için anlamak önemlidir.
Edilgen insan "Kimse beni anlamıyor" der.
Etkin insan "Seni anlıyorum" der.
NLP, "etkin insan olmak" sanatıdır.

Bütünsel Kinesiyoloji (PiKi)
Zihinsel Denge
(Bilinçaltı Kayıtlarınızı Değiştirin)

Zihinsel Denge, PiKi eğitiminin birinci seviye eğitimidir.
Zihinsel Denge eğitiminde, Beden/Zihin/Duygu/Ruh bütünlüğünün ağırlıklı olarak zihinsel boyutu üzerinde çalışma yapılır.
Bu eğitimde:

- Sizi sabote eden inançlarınızı sizi destekleyen inançlara dönüştürme becerisi kazanacaksınız.
- Beynin hem sağ hem sol yarıküresini birlikte kullanarak, "Zihin Balansı" yapabilecek, yaşamınıza denge getireceksiniz.
- Zihin gücünüzü ve belleğinizi geliştirmeyi öğreneceksiniz.
- Günlük yaşamda sıkça kullanacağınız uygulamaları hayatınızın doğal bir parçası haline getireceksiniz.

Sizi sabote eden inanç kalıplarına ulaşabilme ve dilediğiniz doğrultuda değiştirebilme yetisi, PiKi'nin en güçlü boyutlarından biridir.
Yaşadığınız ve anlam veremediğiniz düşünce ve duygularınızın kökeni inançlarımızda yatıyor olabilir. Bu duyguların kökeninin yanıtını kaslarınızdan alabilirsiniz.
PiKi inançlarınızla teması sağlayan, harika bir "varlığımızın bütünüyle" iletişime geçme aracıdır; bedenimizle, bilincimizle, ruhumuzla!

İletişim

İlk öğrendiğimiz şeylerden birisi konuşmak olduğu için iletişimi "bildiğimizi" varsayarız. Konuşmaktan çok daha öte olan iletişimi gerçekte ne kadar biliyoruz?

- NEDEN bazı insanlara anında kanımız kaynıyor ama en sevdiğimiz arkadaşımızın arkadaşı tanıştığımız an bizi rahatsız ediyor?
- NEDEN çocuklarımızdan birine kendimizi yakın hissederken diğerine aynı duyguyu hissedemiyoruz?
- NEDEN ilk bakışta sevimli bulduğumuz insan bir süre sonra bizi ilk anda çeken özellikleri yüzünden itici hale geliyor; gözümüze, bonkörlüğü müsrifliğe, rahatlığı sorumsuzluğa, kendine güveni ukalalığa dönüşüyor?
- NEDEN başka şirkette çalışırken bin bir zahmetle kadromuza aldığımız eleman, şimdi bize hiçbir işe yaramadığı duygusu veriyor?
- NEDEN yıllardır en derin sırlarımızı paylaştığımız dostumuzla artık iletişimin koptuğunu hissediyoruz?
- NEDEN iyi niyetli davranışlarımıza bile olumsuz tepkiler alıyoruz?
- NEDEN bazı insanlar karşısında zorlanıyoruz?
- NEDEN insanlar bizi yanlış anlıyor?
- NEDEN zaman zaman da olsa kırıcı olabiliyoruz?
- NEDEN sonradan pişmanlık duyacağımız tepkileri veriyoruz?
- NEDEN sık sık istemediğimiz sonuçlarla karşılaşıyoruz?
- NEDEN her zaman yeterince inisiyatif alamıyoruz?
- NEDEN insanlarla eşit ilişki kurmakta zorlanıyoruz?

Sözlü iletişim, iletişim buzdağının tepesidir. İletişimin yazılı olmayan "yasalarının" bilincine varmak, kişiyi şişe içindeki mesajını denize emanet etmekten kurtarır. Birey, iletmek istediği mesajın etkin taşıyıcısı haline gelir.

WORKSHOP

İlişkiler

Sürekli aynı ölümcül tuzağa düşüp ışığına çekildiği ateşte kavruluveren pervanelere dudak bükeriz. Peki ya biz? Bizi düş kırıklığından başka bir yere götürmeyen aynı kalıpları tekrarlayıp durmaktan ne kadar özgürüz?

Ya şu sorulara yanıtlarınız?

BEKÂRSANIZ;

- Bu kez farklı olacak diye başladığınız ilişkilerinizin sonu hep hüsran mı oluyor?
- Karşı cinsle iletişim kurmakta güçlük çekiyor musunuz?
- Kadınları/erkekleri anlamak mümkün değil diye mi düşünüyorsunuz?
- Aşk, tutku, alışkanlık ve sevgi arasındaki farkı biliyor musunuz?
- Kadınlar/erkekler konusunda şanssız olduğunuzumu düşünüyorsunuz?
- Geçmiş ilişkilerinizdeki partnerlerinizin ortak özellikleri var mı?

EVLİ YA DA BİRLİKTEYSENİZ;

- Eşinizle/sevgilinizle birlikteliğiniz tekdüze bir hale mi geldi?
- Eşiniz/sevgiliniz tarafından anlaşılmadığınızı mı düşünüyorsunuz?
- Eşiniz/sevgiliniz yaşamınızda bir boşluk mu dolduruyor?
- "Mutlu aşk yoktur" sözüne inanıyor musunuz?
- Birlikteliğin temeli olarak gördüklerinizin her insan için farklı olabileceğini hiç düşündünüz mü?
- Evlilik/birliktelik içinde yalnızlık duyuyor musunuz?

İlişkinizi farklı bir açıdan değerlendirip sorunlarınızın gerçek nedenlerinin farkına varabilir, kendinizi ve ihtiyaçlarınızı daha iyi tanıyarak daha sağlıklı ilişki kurabilirsiniz.

WORKSHOP

Özsaygı

Yüksek özsaygı, kişinin hem değerli hem yeterli olduğunu hissetmesidir. Sevmeye ve sevilmeye layık olduğunu derinden bilmektir. Hayatın her alanında kendi sorumluluğunu yüzde yüz alabilme gücüdür. Kendinin ve başkalarının içindeki iyiyi ortaya çıkarabilme yetisidir. Özdeğer, özgüven, özfarkındalık, özsaygı, özsevgi ve özsorumluluğun bir arada olmasıdır. Sevebilme ve empatik olabilme yetisidir. Hem alçakgönüllü hem cesur olabilmektir. Hayat boyu gelişime ve yeniliklere açık olmaktır.

Yüksek özsaygı, kendini beğenmişlik değildir. "Başkaları ne düşünür"e göre davranmak değildir. Kendini başkalarından üstün ya da aşağıda görmek değildir. İş hayatındaki başarılarla, ünle, parayla, konumla, unvanla geliştirilemez çünkü dışsal kaynaklı değildir.

0-6 yaş arasında temeli oluşan özsaygımızı bilinçlenerek geliştirebiliriz.

- ÖZSAYGI, "evet" demek istediğinde "evet", "hayır" demek istediğinde "hayır" diyebilmektir.
- ÖZSAYGI, evde tek başına iken aynada gördüğün kişiyi güvenilir bulmak, ona saygı ve sevgi duyarak gülümseyebilmek, bu insan benim dostum diyebilmek, karşı cins olsaydı onu eş olarak seçmeyi arzu edebilmektir.
- ÖZSAYGI, kendini beğenmişlikten kendini beğenmeye doğru yapılan bir yolculuktur.

Grup dinamiği oyunları ile değerlilik ve yeterlilik duygularınızı geliştireceğiniz bu bireysel gelişim workshopu, derin bir kendi gücünü keşif çalışmasıdır.

WORKSHOP

Amaç Belirlimek ve İnisiyatif Alabilmek

Amaç Belirlemek ve İnisiyatif Alabilmek workshopu, negatif bakış açısından *yararlanmanızı* ve pozitif bakış açısının bir adım *ilerisine geçmenizi* sağlayan devrim niteliğinde bir eğitimdir.

İş Yaşamında Başarı İçin:

- Gerektiği anlarda inisiyatif alabiliyor musunuz?
- Yaptığınız işten zevk alıyor musunuz?
- İşinizi nasıl zevkli hale getireceğinizi biliyor musunuz?
- Doğru zamanda, doğru kişilere, doğru soruları sorabiliyor musunuz?
- İş arkadaşlarınızın ilham kaynağı mısınız?
- Liderlik ve yöneticilik potansiyelinizi maksimum düzeyde kullanıyor musunuz?
- Takım arkadaşlarınızı nasıl motive edeceğinizi biliyor musunuz?
- Verileri, eğilimleri ve riskleri değerlendirerek optimal kararlar alabiliyor musunuz?
- İşyerindeki iletişiminizi, verimliliğinizi ve üretiminizi optimal kılacak eylem planları geliştiriyor musunuz?

Özel Yaşamda Başarı İçin:

- Öncelikli yaşam amacınızı tanımlayabildiniz mi?
- İnisiyatif alabiliyor ve cesaretle adım atabiliyor musunuz?
- Sıklıkla endişe, öfke, kızgınlık ve hayal kırıklığı gibi duyguların esiri oluyor musunuz?
- Kontrol edemeyeceğiniz şeyleri nasıl kabulleneceğinizi biliyor musunuz?
- Kontrol edebileceklerinizi zirveye taşımanın yollarını biliyor musunuz?
- Duygularınızı bastırmayıp sadece ve her koşulda kontrol etmeyi biliyor musunuz?
- Başkalarının içindeki en iyiyi ortaya çıkarabiliyor musunuz?

En iyi şeyleri hak ettiğinizin farkına varmanız; yaşamın her alanında en iyiyi elde etmeniz ve kendinizin en iyi versiyonunu yaşamanız için geliştirilen bu eğitimde yeteneklerinizi, kaynaklarınızı, zamanınızı, inisiyatif kullanma yeteneğinizi, cesaretinizi ve enerjinizi maksimum düzeye çıkarmayı öğreneceksiniz.

WORKSHOP

Kendinizle Yüzleşin

Fiziksel, duygusal, zihinsel ve ruhsal boyutlarıyla insan bir bütündür. Bu boyutlardan sadece birinde bile dengeyi sağlayamazsa mutsuz olur. Mutsuzluğunun nedeninin de kendisini tanımamaktan kaynaklandığının farkına varmaz.

İnsan, yaşamı boyunca karşısına çıkan olaylar, insanlar, koşullar sayesinde deneyimler kazanarak kendini tanıma (olgunlaşma) yolunda ilerler. Yaşlıların, "şimdi bildiklerimi keşke gençlik yıllarında bilseydim" diye yakındıklarını duyarız. Bu, onların eğer yaşamlarını yeni baştan yaşama imkânı olsaydı tercihlerini farklı şekillerde yapacaklarının göstergesidir.

Yani kendini tanımanın (olgunlaşmanın) bedeli uzun yıllar, hatta tüm bir ömürdür. Uzun ömrün bile olgunlaşmayı garantilemediği sıkça görülen bir gerçek. İnsanlar bedensel yetişkinliğe zamanla ulaşıyorlar ama ya ruhsal yetişkinliğe?

Kendinizle Yüzleşin workshopu "Hayatın Özet Panoraması"dır.

İnsanın yaşam alanını dört maddeye ayırabiliriz.

1. Bireyin hem kendisinin hem başkalarının bildiği şeyler.
2. Kendisinin bildiği ama başkalarının bilmediği şeyler.
3. Kendisinin farkında olmadığı ama başkalarının farkında olduğu şeyler.
4. Ne kendisinin ne de başkalarının farkında olduğu şeyler (olumlu ya da olumsuz)

İşte, uygulamalı egzersizler dizisinden oluşan workshop, özellikle üçüncü maddenin çoğu ile dördüncü maddenin bir kısmını bireyin bilincine çıkarmayı amaçlıyor.

İnsanlara "Kendinizi tanıyor musunuz?" diye sorduğumuzda çoğunun vereceği yanıt genellikle, "Tabii ki tanıyorum" olur. Oysa "tanımak" kavramı ile kastedilen, sadece birinci ve ikinci maddelerdir.

Yıllar sonra birikmiş "Keşke"leriniz olmaması için,

- Amaçlı bir yaşam için,
- Daha objektif, tutarlı ve isabetli yaşam seçenekleri için,
- Tepkisel değil etkisel, duygusal değil duyarlı bir insan olmak için,
- Kendinizle barışık olmak, kendinizi olduğunuz gibi sevmeyi öğrenmek için bu çalışmaya katılın.

Çünkü değerlisiniz.

WORKSHOP

Gölgelerden Aydınlığa

- Kendinizden sevgiyi nasıl esirgiyorsunuz?
- İlişkilerinizi nasıl sabote ediyorsunuz?
- Hayallerinizi neden gerçekleştiremiyorsunuz?
- Kendinizi, kendinizden (ve başkalarından) gizlemenin bedelini zihinsel, duygusal, fiziksel sağlığınızla ödediğinizin farkında mısınız?
- Enerjinizi tüketen ve sizi güçsüz kılan davranışlarınızı nasıl değiştirebilirsiniz?
- Geçmişinizle nasıl barışabilirsiniz?
- Kendinizi (ve başkalarını) nasıl affedebilirsiniz?

Geçmişin esaretinden özgürleşerek şimdiyle sağlıklı kucaklaşmak için iç dünyamızı iyileştirmek, kendimizi sevmenin, kendimizle barışık olmanın önkoşuludur.

İç dünyamızın dengeye gelmesi, dış dünyamızı da dengeye oturtur.

Olabileceğinizin en iyi versiyonu olmak en doğal hakkınız. Işığınız, gölgelerinizin ardında sevgiyle sizinle yeniden kucaklaşmayı bekliyor. Kendi ışığınızın yaşam yolunuzu aydınlatmasına izin verin. Gölgelerden aydınlığa çıkın. Yaşamınızı dönüştürün.

Kendi gücünüze, yaratıcılığınıza, "biricik"liğinize ve hayallerinize sahip çıkmak için yaşamınızı olumlu şekilde değiştirecek "Gölgelerden Aydınlığa Workshopu"na katılın ve en harika versiyonunuzla kucaklaşın.